HÉLÈNE MARQUIS
AVEC LA COLLABORATION D'ÉTIENNE BEAULIEU

GUIDE DE PLANIFICATION FISCALE

LES CONJOINTS DE FAIT

D1500887

Les Éditions
Goélette

Graphisme :
Marjolaine Pageau
Révision, correction :
Geneviève Rouleau, Annie Talbot, Élaine Parisien

Photographies de la couverture :
ShutterStock

© Éditions Goélette, Hélène Marquis, 2011
Dépôt légal : 1er trimestre 2011
Bibliothèque et Archives nationales du Québec
Bibliothèque nationale du Canada

Les Éditions Goélette bénéficient du soutien financier
de la SODEC pour son programme d'aide à l'édition
et à la promotion.
Nous remercions le gouvernement du Québec de l'aide financière accordée par
l'entremise du Programme de crédit d'impôt pour l'édition de livres, administré
par la SODEC.

 Membre de l'Association nationale des éditeurs de livres.

Imprimé au Canada

ISBN : 978-2-89638-618-5

L'utilisation de 1334 lb de Silva Enviro 114 M plutôt que du papier vierge
aide l'environnement des façons suivantes :

Arbres sauvés : 16
Réduit la quantité d'eau utilisée de 50 171 L
Réduit les émissions atmosphériques de 1 645 kg
Réduit la production de déchets solides de 633 kg

C'est l'équivalent de :
Arbre(s) : 0,3 terrain(s) de football américain
Eau : douche de 2,3 jour(s)
Émissions atmosphériques : émissions de 0,3 voiture(s) par année

Marquis imprimeur inc.

Québec, Canada
2011

Imprimé sur Rolland Enviro100, contenant
100% de fibres recyclées postconsommation,
certifié Éco-Logo, Procédé sans chlore, FSC
Recyclé et fabriqué à partir d'énergie biogaz.

TABLE DES MATIÈRES

Mise en garde.. 9
Prologue.. 11
Introduction... 15
Chapitre 1 La vie à deux en union libre.................... **17**
La loi est dure... 17
**Chapitre 2 Par où commencer si on veut se forger
une «vie à deux» sur mesure?**.................................. **21**
Le mariage.. 21
L'union civile... 21
Nos voisins des autres provinces canadiennes............. 22
Le droit des personnes et le droit de la famille : quels sont les
droits des gens mariés ou unis civilement?.................. 23
La résidence familiale.. 24
**Chapitre 3 À qui appartiennent les biens acquis
pendant l'union?**.. **27**
Le patrimoine familial.. 27
Le régime matrimonial... 29
Le décès : le droit des successions................................. 29
**Chapitre 4 Qu'arrive-t-il en cas de maladie, d'accident ou
d'invalidité de l'un des conjoints de fait?**................ **31**
Les conjoints de fait peuvent-ils prendre des décisions
l'un pour l'autre?... 31
Les soins médicaux.. 31
Qui peut agir comme mandataire?.................................. 32
Le consentement aux soins médicaux 33
Les décisions d'ordre financier.. 34
Les assurances vie et les rentes...................................... 35
Puis-je assurer mon conjoint de fait?.............................. 36
Puis-je être bénéficiaire d'un contrat d'assurance sur la vie
de mon conjoint de fait?... 36
Les assurances pour les frais médicaux, dentaires, visuels
et autres.. 38
Chapitre 5 La résidence des conjoints de fait **39**
Le bail du logement que vous habitez 39
Le droit des copropriétaires.. 39
Chapitre 6 Le droit de la famille et les successions.... **41**
Le droit des successions 42
Qui peut hériter?... 42
Les testaments.. 44

Chapitre 7 Les droits des enfants...**45**
**Chapitre 8 D'où provient le mythe des trois ans
de vie commune?**..**49**
Chapitre 9 Les impôts...**51**
Les conjoints de fait sont reconnus à des fins fiscales 52
Les particularités de l'union civile 53
Pourquoi déclarer son état civil aux autorités fiscales?...............53
Qui doit faire une déclaration de revenus?...................................54
L'omission de déclarer correctement peut être régularisée 54
Les conjoints de fait repentants..55
L'amour a un prix! 55
Comment déclarer son état matrimonial?....................................56
Chapitre 10 Cours 101 sur la déclaration de revenus............**59**
Le calcul du revenu 60
Le calcul du revenu imposable..64
Le calcul du montant de l'impôt à payer......................................64
L'impôt minimum de remplacement...66
Les crédits d'impôt 67
Les crédits d'impôt remboursables 73
L'impôt à payer 73
Chapitre 11 Les programmes sociofiscaux **75**
Les crédits d'impôt sur les taxes à la consommation 75
Le crédit sur la taxe fédérale sur les produits et services (TPS) 76
Le crédit sur la taxe de vente du Québec (TVQ)..........................76
Les crédits pour les frais médicaux 77
Les crédits pour les personnes handicapées 78
**Chapitre 12 Les programmes d'aide aux familles et aux
enfants**...**79**
Le crédit d'impôt pour enfant 79
La Prestation fiscale canadienne pour enfants (PFCE)................79
La Prestation universelle pour la garde d'enfants (PUGE)...........80
Déduction pour les frais de garde d'enfants au fédéral...............81
Crédit d'impôt remboursable pour les frais de garde
d'enfants au Québec..81
Le Paiement de soutien aux enfants (PSE)..................................83
La condition physique des enfants 84
Le crédit d'impôt pour les frais d'adoption 84
Le Régime québécois d'assurance parentale (RQAP)..................84
Planification fiscale pour jeune famille: REER ou CELI 85

Chapitre 13 Les programmes d'aide aux aînés.....................**87**
La Pension de la sécurité de la vieillesse (PSV)..........................88
Le Supplément de revenu garanti (SRG) 88
Le Régime des rentes du Québec (RRQ)..........................89
Définition du terme conjoint de fait aux fins du Régime des
rentes du Québec 90
Fractionnement de revenu 90
Les prestations de la Régie des rentes du Québec au décès
d'un conjoint........................91
Les crédits d'impôt accordés aux aînés........................92
Le crédit d'impôt en raison de l'âge au fédéral..........................92
Le crédit d'impôt pour revenu de pension........................92
Le crédit d'impôt accordé en raison de l'âge ou pour revenu
de retraite du Québec........................93
Les crédits pour maintien des aînés dans leur milieu..................93
Le montant pour aidant naturel........................93
Les crédits propres au Québec........................94
Le crédit d'impôt remboursable pour maintien à domicile
d'une personne âgée........................94
Le fractionnement de revenu entre conjoints de 65 ans et plus 95
Planification fiscale........................95
Chapitre 14 Les programmes d'aide aux études...................**97**
Le Régime d'encouragement à l'éducation permanente (REEP)...97
**Chapitre 15 Les programmes d'aide à l'accession à
la propriété**........................**99**
Le crédit d'impôt pour l'achat d'une première maison (CIAPH)...99
Le Régime d'accession à la propriété (RAP)........................99
**Chapitre 16 Les transactions financières entre conjoints
de fait**........................**101**
Les règles d'attribution........................101
Les pertes apparentes........................105
**Chapitre 17 La planification financière – les outils fiscaux
pour épargner**........................**107**
Le compte d'épargne libre d'impôt (CELI)........................107
Le Régime enregistré d'épargne-études (REEE)........................109
Le Régime enregistré d'épargne-invalidité (REEI)........................110
Chapitre 18 La planification de la retraite........................**113**
Le Régime enregistré d'épargne-retraite (REER) 113
Le REER de conjoint 115
Qui peut avoir un REER?........................116
Le Fonds enregistré de revenu de retraite (FERR) 117

Les rentes enregistrées 117
Les régimes de pension agréés (RPA) d'employeurs............... 118
Le Régime de participation différée aux bénéfices (RPDB)....... 120
Le Régime de retraite simplifié (RRS)................................... 120
Les REER collectifs 120
Les Régimes de retraite individuels (RRI)............................. 120
Le CRI, le FRV et le REER immobilisé 121
Les régimes de retraite et les conjoints de fait...................... 121
Chapitre 19 La planification de la succession 125
Les impôts et le décès.. 125
Le règlement d'une succession... 126
Les obligations fiscales du liquidateur 127
Les déclarations de revenus du défunt................................. 128
Déclarations de revenus distinctes...................................... 129
Les déclarations de revenus de la succession 131
Les REER et autres régimes enregistrés d'épargne-retraite
au décès... 132
Le transfert des REER, FERR, CRI et FRV............................ 133
Mode de dévolution 133
La « bigamie fiscale » 136
Transfert à l'enfant ou au petit-enfant mineur financièrement
à charge.. 136
Fiducie au profit exclusif d'un mineur 137
Transfert à l'enfant majeur handicapé financièrement à charge....138
Les FERR, les FRV et les rentes 138
Les rentes enregistrées 140
Les pertes accumulées dans le REER et le FERR après le décès 141
Le solde des sommes retirées en vertu d'un RAP ou
d'un REEP... 141
Le Régime de pension agréés (RPA) au décès........................ 142
Le CELI au décès 143
Certificat de décharge 144
Chapitre 20 Les lois à caractère social du Québec 145
La société d'assurance automobile du Québec (SAAQ)........... 145
Qui est la « conjointe » au sens de cette loi ? Lina ou Sabrina ?.... 145
La Commission de la santé et de la sécurité du travail (CSST)..... 146
Les victimes d'actes criminels.. 147
Autant de lois, autant de définitions de « conjoint de fait »........ 147
**Chapitre 21 Passer à l'acte : vivre d'amour et
parler d'argent 149**
Le bilan financier et l'inventaire des biens............................ 149

La stratégie des colocataires ou le 50/50 152
La convention d'union de fait ou le contrat de vie commune 153
Clause de résidence familiale 154
Clause d'administration des biens durant l'union de fait 154
Les dépenses courantes 154
Clause de partage des biens – créer son propre patrimoine
familial et régime matrimonial 155
Clause de donation entre vifs 156
Testament 156
Clause de pension alimentaire entre conjoints 157
Clause d'assurance vie 157
Clause de médiation obligatoire 159
Le mandat en prévision de l'inaptitude 160
Le simple mandat ou procuration 162
Le testament biologique ou consentement au don d'organes 164
Le testament valide 164
Le testament notarié 165
Le testament devant témoins 165
Le testament olographe 166
**Chapitre 22 La rupture : quand cesse-t-on d'être
conjoints de fait ?** **169**
Les enfants ont des droits 169
La garde légale des enfants 169
La pension alimentaire pour les enfants 170
La pension alimentaire pour le conjoint de fait 173
Les prestations prévues par les lois à caractère social 173
Les recours avec une convention de conjoints de fait 174
Les recours sans convention de conjoints de fait 174
Conclusion **177**
Annexe 1 Exemple de partage de patrimoine familial **179**
**Annexe 2 Législations accordant des droits aux
conjoints de fait** **183**
Législations du Québec 183

MISE EN GARDE

Les aspects légaux, fiscaux et financiers touchant les couples et les familles au Québec et au Canada sont particuliers et complexes. Entreprendre d'en faire la nomenclature serait un exercice aussi périlleux qu'inutile.

Nous avons tenté, dans cet ouvrage, de dégager les éléments les plus importants et les plus communs en matière de planification de la vie de couple. Notre objectif est de donner au lecteur quelques indications qui lui permettront d'organiser adéquatement sa vie de couple tout en respectant sa personnalité et sa vision de la vie à deux et de la famille.

Ce document ne constitue, en aucune façon, un traité de droit ou de fiscalité. Les renseignements qu'il contient ne peuvent se substituer aux conseils de spécialistes (avocats, notaires, comptables, fiscalistes).

Toute personne soucieuse de bien organiser sa vie de couple devrait consulter un planificateur financier dûment agréé par les autorités compétentes. Elle pourra ainsi, grâce à la formation et à l'expertise d'un professionnel, mieux comprendre les notions légales, fiscales et financières et faire appel aux personnes détenant les compétences requises pour cerner ses besoins et atteindre ses objectifs.

Dans la jeune quarantaine, Lina a vécu les 12 dernières années avec Michel. Ils ont deux enfants âgés de 7 et 10 ans. Le travail de Michel l'amène à être souvent absent de la maison.

Lina savait que Michel avait déjà été marié pendant quelques années, alors qu'il était très jeune. Cette union n'a eu aucune conséquence financière sur Michel et leur vie de couple. D'ailleurs, Michel n'a jamais revu son épouse après leur séparation.

Superstitieux, Michel a toujours refusé de faire un testament, convaincu que, puisque lui et Lina faisaient vie commune depuis plus de trois ans et avaient des enfants, cela ne posait aucun problème. Il a donc convaincu Lina que tout ce qu'il possédait lui revenait, de même qu'aux enfants, l'ayant gagné avec elle et pour eux.

Au début de leur union, Lina avait sa propre voiture, une petite Toyota entièrement payée, cadeau de graduation de son père, d'une valeur approximative de 19 000 $, de même que quelques meubles : télévision, électroménagers, mobiliers de cuisine et de chambre à coucher. Pour exercer sa profession de traductrice, elle possédait aussi un ordinateur performant et des outils de travail, comme des dictionnaires et des ouvrages de référence, par ailleurs assez dispendieux.

Lorsqu'elle vivait seule, Lina était économe et n'avait pas de dettes. Au moment d'emménager avec Michel, elle cumulait donc 22 000 $ dans son compte bancaire et avait investi environ 28 000 $ dans un régime enregistré d'épargne-retraite (REER). À la naissance de sa fille, elle a quitté son emploi et transféré ses droits accumulés dans son régime de retraite, soit une somme de 16 000 $, dans un compte de retraite immobilisé (CRI).

Michel, pour sa part, est arrivé chez elle avec une valise et quelques effets personnels sans grande valeur. Il avait peu d'épargne, soit environ 2 000$ investis dans un REER autogéré et des dettes d'études importantes : une marge de crédit de plus de 35.000$ et un solde de prêt étudiant garanti par le gouvernement d'environ 20 000$.

Peu après son arrivée chez Lina, sa vieille voiture a rendu l'âme. Comme Michel a besoin d'une voiture pour travailler, il utilise celle de Lina qui, travaillant à la maison, s'en sert peu. Cinq ans plus tard, ils se voient dans l'obliga-tion de remplacer la voiture, déclarée perte  totale par l'assureur, à la suite d'un accident. Lina obtient 2 000$ de l'assurance. Comme Michel veut une voiture confortable pour travailler, ils optent pour un modèle qui représente une dépense un peu au-delà de leurs moyens, mais en procédant à une loca-tion au lieu d'un achat. En ajoutant un peu d'argent comptant au moment de la signature du contrat, ils pourront plus facilement assumer les paiements. Bien entendu, pour des raisons d'allè-gement fiscal, la nouvelle voiture est au nom de Michel, puisque c'est lui qui l'utilise principalement pour affaires. Lina investit les 2 000$ de l'assurance dans la nouvelle voiture et cautionne la location. Le couple change de voiture tous les quatre ans, mais les conditions demeurent les mêmes.

Entre-temps, les économies de Lina ont fondu comme neige au soleil avec l'arrivée des enfants, l'achat de la maison et du nouveau mobilier. Lina a fait l'acquisition d'une nouvelle voiture pour conduire les enfants à l'école et à leurs activités sportives.

Lina et Michel sont copropriétaires de la maison, qui est évaluée à environ 300 000$. Le solde du prêt hypothécaire s'élève à 250 000$. Lina a investi 20 000$ de ses REER dans l'achat de cette résidence, au moyen du Régime d'accession à la propriété (RAP). Elle rembourse annuellement son REER, en plus de faire de nouvelles cotisations. Elle a toujours été économe et son statut de travailleuse autonome ne la rassure pas.

Les factures des meubles ont été émises au nom de l'un ou l'autre des conjoints, sans qu'ils y attachent d'importance. Seriez-vous surpris d'apprendre que les factures émises au nom de Lina sont celles des meubles des enfants? Le dispendieux système de cinéma maison, payé à même la marge de crédit hypothécaire, de même que les nouveaux électroménagers haut de gamme sont au nom de Michel.

Michel travaille pour une grande entreprise. Outre un excellent salaire frôlant les six chiffres, il bénéficie d'avantages sociaux importants: un régime d'assurance collective, qui offre des  protections familiales en matière de médicaments et de soins dentaires ainsi qu'une assurance vie, accident et maladies graves pour tous les membres de la famille. Il participe aussi au généreux régime de retraite de son employeur.

De son côté, Lina a des revenus plus modestes. Elle a assumé les frais et le manque à gagner entraînés par ses deux congés de maternité. Le Régime québécois d'assurance parentale (RQAP) n'existait pas à cette époque, comme les règles qui s'appliquent maintenant au congé parental pour les travailleurs autonomes. Elle a encaissé le solde de ses REER pour respecter ses obligations et, même si elle a écourté sa période d'absence du travail, elle a perdu ses deux plus importants clients, qu'elle n'a jamais récupérés. Comme elle doit aussi s'occuper des enfants, ses revenus ont diminué, se situant à environ 60 000$ par année avant les dépenses d'affaires.

Le budget familial est bien structuré. Chacun paie selon ses moyens. Michel assume l'hypothèque de la maison, les paiements de l'automobile et la marge de crédit hypothécaire. Lina s'occupe du quotidien: l'épicerie, les besoins des enfants et les siens propres. Ne profitant d'aucun régime de retraite, elle arrive à peine à cotiser quelques milliers de dollars à un REER, dont elle emprunte le montant qu'elle rembourse avec le crédit d'impôt. Ses droits de cotisation reportés s'accroissent d'année en année, mais elle perd le bénéfice de la croissance de l'épargne à l'abri de l'impôt. Michel lui répète que ce n'est pas un problème: la retraite est encore loin et son fonds de pension suffira pour couvrir les dépenses du couple.

Lina commence à être nerveuse face à sa situation. Michel s'absente de plus en plus souvent, de plus en plus longtemps, et semble porter peu d'attention à sa famille. Il lui a raconté qu'il avait croisé Sabrina, sa première épouse, et qu'ils s'étaient remémoré les bons moments passés ensemble.

Un jour, on sonne à la porte. Lina répond. On lui apprend que Michel vient d'avoir un grave accident et qu'elle doit se rendre à l'hôpital sur-le-champ. Il y a des décisions à prendre. En arrivant au chevet de Michel, elle y trouve avec surprise une femme du nom de Sabrina. Elle était dans la voiture au moment de l'accident, mais n'a subi que des blessures mineures.

Son monde s'écroule. Elle apprend que Sabrina et Michel se sont revus fréquemment. Lors de ses longues absences, il habitait chez elle. Sabrina est au courant de l'existence de Lina et des enfants, mais elle en fait peu de cas puisqu'ils n'ont jamais divorcé officiellement. Ils avaient des projets ensemble, dont celui de reprendre la vie commune. Michel devait en informer Lina et les enfants après les fêtes de Noël et du Nouvel An.

Quelle sera la suite des choses ? Qu'arrivera-t-il à Lina… et à ses enfants ?

INTRODUCTION

La fin du xxe siècle a marqué, pour le Québec, l'heure de l'émancipation dans une société devenue moderne et laïcisée, entraînant rapidement des changements profonds dans la plupart des institutions. La dynamique familiale n'a pas été épargnée. Les femmes ont acquis des droits, dont celui, pour les épouses, de posséder leurs propres biens et de les gérer elles-mêmes, sans la tutelle du mari. Eh oui ! L'époque où, le jour de son mariage, « Élise Dubois » changeait d'identité pour devenir « Mme Georges Tremblay », et ce, pour le reste de ses jours, pour le meilleur et pour le pire, n'est pas si lointaine. Le concept de l'autonomie financière des femmes et une plus grande liberté de choix se sont installés graduellement dans la vie des couples. Le 1er janvier 1994 est entré en vigueur le *Code civil du Québec*. Il s'agissait d'un remaniement en profondeur du droit commun pour tenir compte des nouvelles réalités de la société et du contexte de vie nord-américain dans lequel les Québécois évoluent.

À ce moment-là, peu de couples vivaient en « union libre ». D'ailleurs, à l'époque, on disait des couples non mariés qu'ils vivaient « en concubinage ». Ils étaient donc des « concubins » et non des « conjoints de fait ». Seuls les gens mariés étaient indifféremment appelés « conjoints » ou « époux ». Notre mode de vie s'adapte et change plus vite que les lois. L'éclosion des couples vivant comme « conjoints de fait » au Québec s'est amorcée durant les années 1990 pour atteindre des proportions importantes, comme le démontrent les statistiques. En fait, 35 % des couples recensés en 2006 vivaient en union libre. De plus, chose encore impensable dans les années 1980, les « couples de même sexe mariés ou en union civile » ont acquis des droits et, du même coup, des obligations, reconnus par certaines lois.

Alors pourquoi parler de « lois » et de « *Code civil* » quand on est amoureux ? La réponse est simple : le *Code civil du Québec* établit de façon pragmatique la manière dont les relations des couples mariés ou unis civilement doivent être gérées en ce qui a trait à leurs droits et à leurs obligations l'un à l'égard de l'autre et à l'administration de leurs biens. Quand on accepte de se marier, on accepte le cadre déterminé par le *Code civil du Québec* pour régir nos relations familiales et financières. Ce cadre constitue un régime de base auquel tous les époux sont soumis « par défaut ». Il s'agit du « droit commun ». Par contre, le *Code civil du Québec* ignore les conjoints de fait. Ils n'ont donc pas d'existence légale et, par conséquent, ne sont pas soumis aux obligations juridiques qui émanent du contrat légal de base qu'il établit pour les couples mariés.

Il ne s'agit pas nécessairement d'une tare, contrairement à ce que certains laissent entendre. Si les conjoints de fait sont bien informés, ils peuvent créer eux-mêmes un « contrat de vie à deux » taillé sur mesure, qui reflétera leurs valeurs et leurs objectifs. Cet exercice exige beaucoup de maturité et le sens des responsabilités. Malheureusement, peu de gens se donnent la peine de se renseigner et de parler de ces considérations beaucoup trop terre-à-terre quand on est amoureux. Pour se faire une idée précise des options offertes, il faut prendre le temps et les moyens de s'informer. Surtout, n'ayez pas peur d'en discuter avec votre conjoint. Il s'agit toutefois d'une belle preuve d'amour et d'un engagement pris en toute liberté !

Investir pour retenir les services d'un notaire ou d'un avocat afin de discuter de ces considérations ou encore ceux d'un planificateur financier qui peut vous guider dans ce processus et vous diriger vers des professionnels compétents, c'est faire preuve de sagesse. Il faut garder à l'esprit que les décisions qui seront prises au début de la vie commune pourront servir de base lors du règlement d'un différend menant à la séparation ou lors du décès de l'un des conjoints. Il est donc important de bien prendre le temps de le faire et de le mettre par écrit !

L'histoire de Lina et Michel a pour but de nous faire réfléchir aux conséquences liées au fait de ne rien planifier lorsque l'on s'engage dans une relation de couple. Dans cet ouvrage, nous verrons que Lina a certains droits et que, dans certaines circonstances, les petits détails feront toute la différence. La situation de Lina est loin d'être idéale et elle devra certainement consacrer beaucoup d'énergie, de temps et d'argent pour récupérer un peu de ce qu'elle a investi dans le couple qu'elle formait avec Michel.

Le mariage est loin d'être une obligation pour ceux qui n'y croient pas, à condition de savoir dans quoi on s'investit. Toute cette saga aurait probablement pu être évitée si Lina avait su convaincre Michel de faire rédiger et de ratifier les documents légaux nécessaires à toute bonne gestion des relations d'un couple.

La loi est dure

Sans mariage ou union civile, aucun statut juridique n'est reconnu aux conjoints de fait, quel que soit le nombre d'années où le couple a fait vie commune et même s'ils ont eu des enfants.

Le droit commun, soit les droits et obligations qu'ont les unes envers les autres toutes les personnes mariées ou unies civilement, est établi par le *Code civil du Québec*. C'est la loi ; il s'agit donc d'un contrat-cadre assez statique, qui donne peu de liberté à ceux qui y sont soumis. Ce même code ne reconnaît aucun statut  juridique et, par le fait même, aucun droit ou obligation entre les conjoints de fait. L'état civil qui leur est attribué est celui de célibataire.

Certaines lois particulières de même que des contrats privés reconnaissent toutefois un statut et des droits aux conjoints de fait, d'où la mention « conjoint de fait », qui apparaît parfois sur certains formulaires gouvernementaux. Il existe 28 lois à cet effet au niveau provincial et 68 au fédéral. Comme chacune de ces lois pose des conditions différentes pour permettre à un couple d'obtenir la désignation de « conjoints de fait », il devient extrêmement difficile de s'y retrouver. De façon générale, ces définitions sont fondées sur le nombre d'années de vie commune, soit 12 mois, 1 an[1], 3 ans, ou sur certains événements comme la naissance ou l'adoption d'un enfant. Il faut vérifier chacune de ces définitions et remplir les formulaires prescrits pour bénéficier des avantages sociaux qui y sont rattachés.

Même si le couple satisfait aux conditions relatives à la durée de la vie commune ou à l'arrivée d'un enfant précisées par la loi, il est toujours possible que certains éléments empêchent l'un des conjoints de recevoir des prestations (comme la rente du conjoint survivant) en raison, par exemple, de l'existence d'un conjoint marié ou uni civilement non légalement séparé ou divorcé. En d'autres termes : dans le cas où votre conjoint n'a pas réglé ses affaires avec son ex ! Cette situation, beaucoup plus fréquente que l'on ne le croit, peut entraîner un état de bigamie qui pourrait donner lieu à des conséquences fâcheuses.

Ce sera le cas pour Lina et Michel, qu'il survive ou non à l'accident de voiture. Il faudra d'abord établir la limite des droits de Sabrina dans le patrimoine familial. Même si elle n'y a collaboré en aucune façon, son statut d'épouse lui donne tout de même des droits.

---

1. Ce genre de détail peut devenir important. Quand une loi parle « d'un an », cela représente une année civile, soit 365 jours, sans égard aux années bissextiles. Les mois sont calculés sans tenir compte du nombre de jours. Si des conjoints ont commencé à faire vie commune le 15 juillet 2009 et que la loi prévoit un délai d'un an pour qu'ils soient considérés comme conjoints de fait, leur statut ne se concrétisera que le 15 juillet 2010, soit quand une année civile (365 jours) aura été complétée. Si le délai prévu est de 12 mois, ils seront conjoints de fait à partir du 1er juillet 2010.

Pour l'instant, il convient de garder en tête qu'en ce qui concerne le droit commun, les conjoints de fait ne sont rien d'autre que des célibataires vivant sous le même toit, mais certaines exceptions s'appliquent aux soins médicaux et à quelques bénéfices d'assurance. Pour ces motifs, il est important d'établir soi-même son propre contrat de vie commune, soit celui qui correspond à ses valeurs personnelles et à ses objectifs de vie, et non celui que la coutume sociale a cru bon de dicter dans une loi.

CHAPITRE 2
Par où commencer si on veut se forger une « vie à deux » sur mesure ?

Avant de choisir l'état civil qui nous convient le mieux, il est important d'être bien informés sur les droits et obligations qui s'appliquent aux personnes mariées ou unies civilement.

Le mariage

Le *Code civil du Québec* reconnaît le mariage civil et le mariage religieux. Les deux sont officiels. Le mariage civil entre conjoints de sexe différent ou de même sexe peut être célébré par un officier de justice, un greffier de la Cour supérieure ou son adjoint, des notaires ou des fonctionnaires municipaux, désignés par le ministre de la Justice, devant deux témoins.

Le mariage religieux est célébré par un ministre du culte reconnu par sa société religieuse. Il doit résider au Québec et être habilité par les autorités civiles à célébrer le mariage. La cérémonie se tient habituellement dans un lieu de culte, en présence de deux témoins. Ce type d'union n'est pas toujours offert aux couples de même sexe. La loi reconnaît aux ministres du culte le droit de ne pas procéder à une union qui va à l'encontre des principes qu'ils défendent.

L'union civile

Il s'agit d'une nouveauté, apparue dans le *Code civil du Québec* en 2002. L'union civile est offerte aux couples de sexes différents ou de même sexe qui souhaitent bénéficier d'un état civil officiel, sans se marier. La célébration de l'union civile est très proche de celle du mariage. Les célébrants sont les mêmes personnes. Il s'agit d'un engagement entre deux personnes de 18 ans et plus, qui consentent, de façon libre et éclairée, à faire vie commune et à respecter les droits et obligations rattachés à l'état civil tels que définis dans le *Code civil du Québec*. Le célébrant fait aussi la lecture de ces droits lors de la célébration.

Les conjoints qui souhaitent s'unir civilement doivent être libres, c'est-à-dire qu'il ne doit pas subsister de mariage ou d'union civile antérieurs. Ils doivent donc être veufs ou veuves ou divorcés, s'ils ont déjà été mariés. S'ils ont déjà vécu une union civile, elle doit avoir été dissoute officiellement.

La célébration doit avoir lieu devant deux témoins. Le célébrant envoie la déclaration d'union civile au directeur de l'État civil pour qu'il l'inscrive au registre. L'état civil des conjoints est, dès lors, officialisé au Québec : ils sont désignés comme étant « unis civilement ».

Attention toutefois, l'union civile est une création provinciale. Ses effets pourraient ne pas être reconnus hors du Québec. Dans un pays étranger ou une autre province canadienne, l'état civil officiellement reconnu pourrait n'être que celui de « conjoints de fait », à moins de vouloir invoquer les règles très complexes du droit international privé. Les questions constitutionnelles entreraient alors en jeu. Ce débat va bien au-delà des objectifs de ce livre.

Nos voisins des autres provinces canadiennes

Parmi les mythes et les fausses croyances populaires, il y a celle qui veut que les conjoints de fait aient plus de droits dans les autres provinces canadiennes. Ceci n'est pas nécessairement vrai en tous points. Le droit civil applicable aux couples relève des provinces et les individus sont régis par les lois de l'endroit où ils sont domiciliés. Chaque province a ses propres lois.

Si vous êtes conjoints de fait, vérifiez les lois provinciales applicables à votre situation si vous quittez le Québec, car elles pourraient vous réserver des surprises désagréables.

Le droit des personnes et le droit de la famille : quels sont les droits des gens mariés ou unis civilement ?

Ils ont des droits et des obligations l'un envers l'autre, qu'on appelle les « effets » du mariage et de l'union civile :

- ils se doivent respect, fidélité, secours et assistance ;

- ils choisissent ensemble la résidence familiale ;

- ils sont tenus de faire vie commune ;

- ils contribuent aux charges du mariage, proportionnellement à leurs capacités respectives ;

- chacun peut donner à l'autre le mandat de le représenter s'il est dans l'impossibilité de manifester sa volonté. Ce mandat, appelé « *mandat domestique* », n'a pas besoin d'être écrit et formel ;

- ils occupent la résidence familiale et bénéficient des meubles destinés à l'usage du ménage. En ce qui a trait aux logements loués, les baux ne peuvent être annulés ou cédés sans le consentement de l'autre, même s'il n'a pas signé le bail. Ces droits sont préservés par l'enregistrement d'une déclaration de résidence familiale ;

- certains de leurs biens font partie du patrimoine familial ;

- ils ont un régime matrimonial, soit la société d'acquêts légale ou conventionnelle, la séparation de biens ou un régime hybride, composé sur mesure.

Si une séparation, un divorce ou le décès de l'un des conjoints survient, ils auront le droit :

- d'obtenir une pension alimentaire pour eux-mêmes et pour les enfants, c'est l'obligation de secours et d'assistance ;

- de demeurer dans la résidence familiale, de poursuivre la location, s'il y a lieu, et d'utiliser les meubles ;

- de demander le partage du patrimoine familial ;

- de demander le partage et la dissolution du régime matrimonial ;

- en séparation de biens ou tout autre régime conventionnel, ils pourront demander de recevoir certaines donations exigibles du vivant ou certaines autres, exigibles après le décès de l'un des époux lorsque prévues dans le contrat de mariage;

- ils peuvent avoir droit à une prestation compensatoire si, par leur travail ou leurs biens, ils ont enrichi l'autre;

- si l'un décède sans testament, l'autre pourra hériter seul ou dans une proportion établie par la loi s'il y a des enfants ou des parents survivants.

Voici plus de détails sur ces questions.

La résidence familiale

Le *Code civil du Québec* accorde une protection de la résidence qui sert à la famille et des meubles qui servent à l'usage du ménage, peu importe si un des époux ou conjoints unis civilement en est le seul proprié-taire, que le couple en est copropriétaire ou si la résidence est louée.

La déclaration de résidence familiale est un acte officiel effectué par l'un des époux ou par les deux, conjointement. Cette déclaration est publique et doit être enregistrée au Bureau de la publicité des droits[2] pour qu'elle soit effective à l'égard de tous les intéressés.

La déclaration de résidence familiale fait en sorte que le conjoint qui en est propriétaire ne peut la vendre, l'hypothéquer ou la louer sans le consentement écrit de l'autre conjoint. Il en est de même pour les meubles destinés à l'usage du ménage. Il n'est pas possible de les vendre, de les hypothéquer ou de les transporter hors de la résidence familiale. Les meubles comprennent les

---

2. Le Registre foncier du Québec met en place le système de la publicité foncière, établi selon une division territoriale propre, où sont inscrits et conservés, à des fins de publicité, les actes relatifs aux droits immobiliers. Pour plus de détails, consultez le site Internet: www.mrnf.gouv.qc.ca/foncier/ registre. En plus de ce registre, il faut aussi parfois consulter le Registre des droits personnels réels et mobiliers (RDPRM): www.rdprm.gouv.qc.ca.

ornements, tels que les tableaux, mais les collections en sont exclues.

Lorsque la résidence familiale est un logement loué, le conjoint signataire du bail ne peut, sans le consentement écrit de l'autre conjoint, sous-louer ou mettre fin au bail. Le propriétaire doit obligatoirement avoir été avisé de la déclaration de résidence familiale.

Il est à noter que la déclaration de résidence familiale ne confère pas de droit de propriété ni de droit sur la valeur du bien. Il ne fait que protéger la famille contre des agissements unilatéraux du propriétaire ou du signataire d'un bail.

Les conjoints de fait ne bénéficient d'aucune de ces protections. Même s'ils ont des enfants, ils ne peuvent enregistrer de déclaration de résidence familiale. Le conjoint de fait qui n'est pas propriétaire ou qui n'a pas signé le bail est donc à la merci de l'autre et peut se retrouver à la rue du jour au lendemain, sans autre recours que celui d'obtenir la cession du bail si le propriétaire y consent. Pour ce faire, la personne doit entreprendre des procédures judiciaires qui peuvent s'avérer longues et coûteuses.

 Être copropriétaire de la résidence n'est pas le gage d'une protection à toute épreuve non plus.

C'est maintenant que la situation de Lina et de ses enfants se corse. Le fait qu'elle soit propriétaire de la moitié de la maison où la famille réside ne lui donne pas nécessairement de droit sur la partie dont Michel est propriétaire. Elle est maintenant à la merci des circonstances et de la bonne volonté de Sabrina et des proches de Michel.

CHAPITRE 3
À qui appartiennent les biens acquis pendant l'union?

Chaque époux acquiert des biens pendant la durée du mariage. En cas de séparation, de divorce ou de décès de l'un d'eux, il est nécessaire d'établir à qui appartiennent ces biens et les droits de chacun dans un partage éventuel. Il faut alors considérer les règles du patrimoine familial et du régime matrimonial pour résoudre ces questions.

Le patrimoine familial[3]

Le patrimoine familial a été créé de façon à équilibrer les droits des conjoints mariés en séparation de biens qui, à certains égards, n'étaient pas plus protégés lors de la rupture que ne le sont actuellement les conjoints de fait. Il s'applique obligatoirement aux conjoints qui se sont mariés après le 1er juillet 1989. Les couples mariés avant cette date avaient jusqu'au 31 décembre 1990 pour renoncer au patrimoine familial par acte notarié. Ceux qui ne l'ont pas fait sont soumis à ces règles. Notons qu'il est possible de faire annuler la renonciation notariée par jugement.

Le patrimoine familial est constitué d'une liste de biens déterminés par le *Code civil du Québec*. En font partie, peu importe lequel des époux ou conjoint uni civilement en est propriétaire, les biens suivants:

- les résidences de la famille, y compris les chalets, roulottes, condos, bateaux qui servent à la famille pour y habiter et pour prendre des vacances;

- les meubles qui garnissent et ornent ces résidences; ·

- les véhicules automobiles qui servent aux déplacements de la famille;

- les droits accumulés durant le mariage dans un régime de retraite, que ce soit pendant la période d'accumulation ou

---

3. Pour obtenir plus de détails sur le patrimoine familial, visitez le: www.educaloi.qc.ca/loi/conjoints_maries_ou_unis_civilement.

après que les rentes ont commencé à être payées. Sont aussi inclus les régimes enregistrés des employeurs et les REER ;

- les droits accumulés pendant le mariage à la Régie des rentes du Québec.

Le patrimoine familial ne confère pas de droit de propriété à l'autre époux ou conjoint uni civilement sur ces biens. Il octroie un droit de créance sur la valeur nette du bien, une fois les dettes soustraites. Les époux et les conjoints unis civilement ne peuvent pas renoncer à ce partage, avant ou pendant le mariage. Le droit de réclamer ou de renoncer à cette valeur n'est possible que lors de la rupture du mariage, soit au moment d'un divorce ou d'une séparation de corps ou au décès de l'un des époux. Consultez l'annexe 1 pour trouver un exemple de partage de patrimoine familial.

Encore une fois, le patrimoine familial étant une création du *Code civil du Québec*, les conjoints de fait n'y participent pas.

Chaque conjoint de fait est propriétaire des biens qui sont à son nom. En cas de rupture ou de décès, le conjoint survivant n'a aucun droit sur ces biens à moins qu'un droit au partage ne soit établi à l'avance dans une convention d'union de fait ou dans un testament.

Ainsi, Lina pourra revendiquer ses droits sur le mobilier des enfants. À défaut d'entente à l'amiable, elle devra entreprendre des procédures légales contre Michel devant le tribunal pour tenter de faire valoir ses droits. Si elle n'a pas conservé de preuves tangibles lui permettant de retracer la propriété des biens, il lui sera difficile de faire la preuve qu'elle a participé à l'acquisition des autres biens tels que les électroménagers et la voiture familiale, et ce, même s'ils ont été acquis en remplacement de ceux qu'elle possédait déjà. De plus, comme elle a utilisé ses propres économies pour les payer, il faudra qu'elle ait recours à des preuves indirectes comme les retraits des comptes de banque ou des chèques tirés au nom de Michel. Théoriquement, la vie en couple exige une comptabilité détaillée que peu de gens tiennent.

Le régime matrimonial

Le régime matrimonial est différent du patrimoine familial. C'est un contrat que les futurs époux ou conjoints unis civilement concluent avant la célébration du mariage ou de l'union civile. Ce contrat décide du partage des biens qui ne sont pas inclus dans le patrimoine familial.

Les régimes matrimoniaux en vigueur au Québec sont la séparation de biens et la société d'acquêts[4] légale ou contractuelle. À défaut de conclure un tel contrat, ils seront mariés d'office sous le régime de la société d'acquêts légale. Ceci signifie que c'est la loi qui décide comment les biens accumulés durant l'union seront partagés en cas de rupture ou de décès de l'un des époux ou conjoints unis civilement.

Le décès : le droit des successions

Exception faite d'un testament en bonne et due forme et de la désignation d'un bénéficiaire d'un contrat d'assurance ou de rente, les conjoints de fait ne peuvent hériter l'un de l'autre par le seul effet de la loi. Encore une fois, le *Code civil du Québec* prévoit que les conjoints mariés ou unis civilement peuvent recevoir une partie de la succession de l'autre, dans une proportion donnée, même s'il n'y a pas de testament. C'est la dévolution légale de la succession.

---

4. Le terme acquêt vient du verbe acquérir et signifie « un bien acquis par un époux pendant le mariage ».

Nous reviendrons plus tard sur toutes ces questions quand il sera temps de créer notre contrat de vie à deux sur mesure. Voyons d'abord quels sont les droits accordés par le *Code civil du Québec* aux conjoints de fait. Commençons donc par le droit des personnes, soit celui qui concerne les soins médicaux, le testament biologique et le mandat donné en prévision de l'inaptitude.

CHAPITRE 4
Qu'arrive-t-il en cas de maladie, d'accident ou d'invalidité de l'un des conjoints de fait ?

La réponse logique semble tellement évidente : le conjoint valide devra continuer à gérer le quotidien de la maisonnée. Il devra s'occuper du conjoint malade ou invalide et prendre les décisions nécessaires pour que lui soient prodigués les soins de santé nécessaires à son état. Mais dans la réalité, est-ce toujours aussi simple ?

Les conjoints de fait peuvent-ils prendre des décisions l'un pour l'autre ?

Jusqu'en 2002, année durant laquelle des assouplissements ont été apportés au *Code civil du Québec*, les conjoints de fait ne pouvaient se prononcer sur ces questions. Si les nouvelles dispositions facilitent les choses dans certaines situations, elles peuvent également aggraver les conflits potentiels résultant de l'existence d'époux non divorcés ou de relations compliquées du conjoint de fait avec une belle-famille hostile.

Les soins médicaux

Sauf si la vie d'une personne est en danger ou que son intégrité est menacée, son consentement est nécessaire pour lui prodiguer des soins médicaux. Normalement, il revient à la personne qui doit recevoir les soins de les accepter ou de les refuser. Certaines situations peuvent faire en sorte qu'il est impossible pour le principal intéressé de donner ce consentement. Les personnes autorisées par la loi peuvent alors prendre les décisions qui s'imposent à sa place. Ces personnes sont les mandataires, c'est-à-dire les personnes qui ont été désignées à cette fin par un mandat donné en prévision de l'inaptitude, le tuteur ou le curateur.

Qui peut agir comme mandataire?

Dans la plupart des cas, la personne désignée comme mandataire est un proche. Le conjoint de fait tout comme l'époux ou le conjoint uni civilement est souvent désigné à cette fin si, bien entendu, il est apte à remplir ce rôle. Ce n'est toutefois pas toujours le cas. Par exemple, un conjoint n'a pas toujours les aptitudes et les connaissances nécessaires pour assurer l'intérim de l'entreprise de son conjoint si celui-ci devient inapte. Le nommer mandataire dans ce cas pourrait causer plus de dommages que de bien. Il n'y a pas de «mandataire par défaut». Un mandat ne se présume pas, il doit être écrit (à l'exception du mandat domestique mentionné au chapitre 2). Il est possible d'avoir plus d'un mandataire. On peut désigner un mandataire pour s'occuper de la personne et un autre pour s'occuper des biens.

S'il n'y a pas de mandat écrit et que l'incapacité risque d'être de longue durée, il peut être nécessaire d'entreprendre des procédures devant le tribunal pour faire nommer une personne qui va s'occuper des affaires de la personne devenue incapable. Le tuteur et le curateur d'une personne majeure sont nommés par un tribunal qui agira suivant les recommandations d'un conseil de famille. Il s'agit donc de situations exceptionnelles. Si personne n'est désigné, le curateur public devra prendre la relève.

Il est à noter que le conjoint de fait peut être invité à participer au conseil de famille qui nommera un curateur ou un tuteur ou il peut s'y inviter, en sa qualité d'ami ou de proche. Sa voix ne lui donnera pas plus de pouvoir que celle des autres personnes impliquées dans la prise de décision.

Comme elle a des enfants nés de son union avec Michel, Lina se retrouve en meilleure posture. En tant que tutrice d'office de ses enfants mineurs, elle peut en effet revendiquer le droit de les représenter et de faire valoir leurs intérêts devant le conseil de famille.

Le consentement aux soins médicaux

Le consentement aux soins fait partie des quelques rares exceptions permettant au conjoint de fait d'exercer des droits à l'égard de l'autre[5]. L'un peut effectivement consentir aux soins médicaux requis lorsque l'autre est dans l'impossibilité de le faire.

Une question demeure: comment les personnes qui ont la responsabilité de prodiguer les soins de santé pourront-elles déterminer si la personne qui prétend être le «conjoint de fait» dit vrai quand, de surcroît, pour le *Code civil du Québec*, l'union libre n'existe pas?

Lina se trouve maintenant dans une situation plus inconfortable en raison du retour inopiné de Sabrina qui, selon la loi, a tous les droits, étant encore officiellement inscrite au Registre de l'état civil comme étant l'épouse de Michel.

Il existe une loi, appelée la *Loi sur l'interprétation,* qui s'applique à toutes les lois du Québec lorsqu'elles sont muettes sur certains points. Cette loi contient une définition de «conjoints» et de «conjoints de fait[6]».

---

5. Ces dispositions ont été introduites dans le *Code civil du Québec* et dans la *Loi sur l'interprétation* en 2002 seulement.

6. Article 61.1: Conjoints: Sont des conjoints les personnes liées par un mariage ou une union civile.
Conjoints de fait: Sont assimilés à des conjoints, à moins que le contexte ne s'y oppose. Sont des conjoints de fait deux personnes, de sexe différent ou de même sexe, qui font vie commune et se présentent publiquement comme un couple, sans égard, sauf disposition contraire, à la durée de leur vie commune. Si, en l'absence de critère légal de reconnaissance de l'union de fait, une controverse survient relativement à l'existence de la communauté de vie, celle-ci est présumée dès lors que les personnes cohabitent depuis au moins un an, ou dès le moment où elles deviennent parents d'un même enfant.

Lina pourra facilement démontrer son statut de conjointe de fait. Elle pourra donc prendre des décisions en matière de soins médicaux.

L'article de loi portant sur le consentement aux soins est assez limité dans son application. Les soins sur lesquels une décision peut être prise sont ceux qui sont requis par l'état de santé. Ainsi, sans mandat donnant ce pouvoir au mandataire, une personne dans le coma pourrait ne pas pouvoir bénéficier de soins expérimentaux qui pourraient lui être bénéfiques, même si son conjoint y consentait. Les soins doivent être nécessaires et respecter les volontés de la personne malade.

Les décisions d'ordre financier

Le consentement aux soins médicaux ne permet pas de régler les problèmes d'ordre financier qui peuvent survenir lors de l'invalidité de son conjoint de fait. Comme nous l'avons déjà indiqué, les conjoints de fait sont des célibataires étrangers, au sens de la loi. Ils n'ont donc pas accès aux biens et aux renseignements personnels de leur conjoint, même s'ils sont copropriétaires de la résidence familiale et qu'ils ont un compte bancaire conjoint.

Que faire s'il faut communiquer avec l'assureur pour connaître la couverture en ce qui concerne les frais d'hospitalisation ? Comment s'assurer que les prestations d'assurance invalidité seront versées dans le bon compte bancaire pour payer l'hypothèque de la maison ? Il est à espérer que vous avez d'excellentes relations avec votre belle-famille. À moins d'avoir une procuration qui vous permette d'exercer l'intérim ou un mandat en cas d'inaptitude, les renseignements nécessaires détenus par les assureurs ou le banquier ne vous seront pas divulgués, et ce, en vertu de la *Loi sur la protection des renseignements personnels*. Ces documents écrits détaillent les volontés que leur auteur veut voir respectées.

Théoriquement, Lina pourrait prendre les décisions d'urgence concernant les soins médicaux à prodiguer ou non à Michel durant son coma. Le fait que Sabrina, son épouse légitime, se trouve à son chevet pourrait compliquer les choses, particulièrement si leurs points de vue diffèrent.

N'étant pas mandataire de Michel, Lina n'obtiendra à peu près aucun renseignement d'ordre médical ou financier concernant son conjoint, toujours en vertu de la *Loi sur la protection des renseignements personnels*. Même si Sabrina n'est pas officiellement mandataire de Michel, elle pourrait jouir d'un meilleur accès à ces renseignements en raison du mandat domestique présumé entre époux. Si la famille de Michel décide de s'en mêler, la situation pourrait devenir très pénible. Il faut garder en tête que tous ces événements se déroulent dans un climat d'émotivité exacerbée.

Il faut établir les règles et rédiger les documents dont il est question tout au long de ce livre quand tout va bien et qu'on est amoureux, en prévision d'événements plus douloureux qui pourraient survenir dans la vie.

Les assurances vie et les rentes

Les assurances vie, maladie et accident, individuelles ou collectives, de même que les rentes, sont des contrats et leur gestion est plutôt complexe, surtout lorsqu'elle implique les droits des conjoints de fait. Certaines prestations d'assurances ou de rentes peuvent provenir de régimes collectifs d'employeurs, notamment les assurances maladie et accident, les assurances pour les frais médicaux et dentaires, les assurances invalidité, maladies graves et les assurances vie.

Au moment de la retraite, certaines rentes peuvent provenir de régimes surcomplémentaires de retraite des employeurs (RSR) ou de régimes de participation différée aux bénéfices (RPDB). Ces régimes ne sont pas régis par les lois provinciales sur la retraite dont il sera question plus loin.

Les droits des conjoints de fait ainsi que la façon de transférer ces rentes dépendent des règles établies dans le *Code civil du Québec* concernant les désignations de bénéficiaires et les successions. Si les droits sur ces biens ne sont pas légués ou s'il n'y a pas de désignation de bénéficiaire en faveur du conjoint de fait, ce dernier ne recevra rien dans la plupart des cas.

Puis-je assurer mon conjoint de fait ?

Oui, pour pouvoir assurer une personne, il faut avoir un « intérêt assurable » dans la vie ou la santé de cette personne. Le *Code civil du Québec* prévoit que les conjoints, incluant les conjoints de fait qui correspondent à la définition prévue par la *Loi sur l'interprétation* dont il a été question précédemment, ont automatiquement cet intérêt assurable l'un à l'égard de l'autre. Il s'agit de l'une des rares exceptions au *Code civil du Québec* en matière de droits reconnus aux conjoints de fait.

La plupart des contrats collectifs parrainés par un employeur ou une association offrent une couverture en faveur d'un conjoint de fait. Il est nécessaire de vérifier les termes du contrat-cadre pour savoir à quel moment et dans quelle mesure les conjoints de fait peuvent en bénéficier. Ce sont des contrats privés qui doivent être vérifiés individuellement ; il faut donc se renseigner auprès de l'employeur.

Puis-je être bénéficiaire d'un contrat d'assurance sur la vie de mon conjoint de fait ?

Oui, mais, encore une fois, il y aura des différences notables entre le statut d'un époux ou d'un conjoint uni civilement et celui d'un conjoint de fait. La désignation de l'époux ou du conjoint uni civilement est automatiquement irrévocable, sauf indication contraire. La désignation d'un conjoint de fait comme bénéficiaire d'une police d'assurance est révocable. Il faut l'indiquer pour qu'elle soit irrévocable et, dans ce cas, elle ne peut être changée sans le consentement du bénéficiaire désigné. Certains assureurs, mais non pas tous, peuvent aussi exiger le consentement du bénéficiaire irrévocable quand des opérations, comme des emprunts ou des retraits effectués dans le cadre de ces contrats, pourraient risquer de mettre en péril la survie de l'assurance ou diminuer le montant payé au décès.

La désignation de bénéficiaire d'un contrat d'assurance ou de rente comporte des avantages certains du vivant et au décès. Ainsi, pour les personnes mariées ou unies civilement, la désignation d'un bénéficiaire, qu'elle soit révocable ou non, protégera le contrat d'assurance ou de rente contre les créanciers. Pour obtenir le même résultat, les conjoints de fait devront désigner le bénéficiaire comme étant irrévocable.

Au décès, le montant du capital de l'assurance sera versé directement au bénéficiaire dès que la compagnie d'assurances aura reçu la réclamation, accompagnée des preuves requises. Le bénéficiaire n'aura donc pas à attendre le règlement de la succession pour accéder à de l'argent liquide et ces sommes seront à l'abri des créanciers de la succession, dont le fisc.

La désignation d'un bénéficiaire d'un contrat d'assurance doit se faire par écrit, dans le contrat lui-même ou dans un testament, auquel cas elle ne peut pas être irrévocable. Elle peut donc être annulée ou révoquée en tout temps sans que le bénéficiaire en soit avisé. De plus, elle ne procure aucune protection contre les créanciers du vivant, puisqu'elle ne prendra effet qu'au moment du décès de la personne qui a fait le testament.

Enfin, la chance sourit un peu à Lina : elle figure sur le régime collectif auquel Michel participe avec son employeur. Malheureusement, son moment d'espoir est de courte durée. Le fait qu'elle soit assurée dans le cadre du plan familial d'assurance collective ne signifie pas qu'elle est bénéficiaire des prestations payables en cas de maladie, d'invalidité ou du décès de son conjoint de fait.

Il est regrettable de constater que les désignations de bénéficiaires sont souvent faites à la légère et que les gens ne détiennent qu'un minimum de renseignements pour ce faire. Pourtant, la désignation d'un bénéficiaire, c'est important. C'est comme un testament! Trop souvent, on indique sur la ligne «bénéficiaire»: héritiers légaux ou ayants droit, sans se soucier des conséquences. Les expressions *héritiers légaux* et *ayants droit* renvoient aux personnes qui sont nommées dans le testament ou, à défaut, à celles à qui reviendrait la succession sans testament.

Lina n'est pas beaucoup plus avancée. Rien ne lui assure maintenant qu'elle peut toucher les prestations d'invalidité ou de décès de Michel. Ce dernier n'a pas de testament ; Sabrina et les enfants seront, dès lors, les héritiers ou ayants droit qui recevront les prestations d'assurance si Lina n'est pas désignée bénéficiaire pour la recevoir en entier ou conjointement avec ses enfants.

Les assurances pour les frais médicaux, dentaires, visuels et autres

Il peut arriver que les contrats d'assurance collectifs, fournis par les employeurs ou les associations, reconnaissent les conjoints de fait. Les employeurs ne sont pas obligés de fournir ce genre de régime. Ils sont libres de permettre que les conjoints de fait y adhèrent ou non. De plus, la définition de « conjoint de fait » peut différer d'un contrat à l'autre, d'un employeur à l'autre et d'un assureur à l'autre. Il faut donc vérifier les couvertures permises par le contrat.

Comme ces régimes sont assez onéreux et que les employeurs ont tendance à vouloir réduire leurs coûts, il est aussi nécessaire de vérifier les termes de la protection accordée lors du renouvellement d'un contrat ou d'un changement d'assureur.

CHAPITRE 5
La résidence des conjoints de fait

Le bail du logement que vous habitez

Si vous habitez un logement que vous avez loué avec votre conjoint de fait, il serait possible de demander le transfert du bail à votre nom si celui-ci quittait les lieux ou ne remplissait pas ses obligations. Plutôt que d'être cités dans les articles du *Code civil du Québec* portant sur le droit de la famille, comme dans le cas de la résidence familiale, ces droits se retrouvent dans les articles qui traitent des droits des locataires. Plus d'information peut être obtenue à ce propos en consultant le site de la Régie du logement du Québec au www.rdl. gouv.qc.ca (onglet « Fiches conseils > Céder son bail ou sous-louer »).

Le droit des copropriétaires

Une autre croyance populaire bien ancrée chez les Québécois veut que la copropriété de la résidence familiale donne des droits. C'est vrai, mais ces droits sont limités en proportion de la participation dans la copropriété indivise. La copropriété indivise est celle par laquelle deux ou plusieurs individus sont propriétaires ensemble d'un bien qui, par définition, ne peut être détaché en plusieurs parties. Ainsi, la maison où l'on réside est un tout. En cas de rupture, il n'est pas possible de partir avec le salon, la cuisine ou la chambre à coucher. Si la résidence est acquise en copropriété, chaque copropriétaire détiendra un pourcentage de sa valeur totale. Le contrat d'acquisition ou la convention de vie commune servira à déterminer cette proportion.

S'il n'est pas indiqué de proportion différente, dans un contrat quelconque, les conjoints se partageront la valeur de la maison en deux parties égales, soit 50 % chacun. Au moment d'une séparation ou d'un décès, le copropriétaire n'a aucun droit sur les 50 % de l'autre. Il peut en hériter par testament ou l'acquérir en l'achetant soit directement du conjoint lors d'une séparation, ou de la succession, au décès du conjoint. Si la succession est composée d'enfants mineurs, ceci peut s'avérer assez compliqué. Il faudra un tuteur pour les représenter dans ce type de transaction. Lorsque le parent tuteur est en conflit d'intérêts avec les enfants qu'il représente, un tuteur *ad hoc* ou substitut peut être nommé pour s'occuper de leurs intérêts.

La copropriété ne signifie pas non plus que chacun des copropriétaires n'est responsable que de 50 % de l'hypothèque. La banque peut réclamer la totalité du solde dû à l'un ou à l'autre des copropriétaires indifféremment, même si un seul se trouve en défaut de paiement. Il en est de même des cautionnements donnés sur des biens appartenant en totalité à l'autre conjoint.

La banque peut réclamer à Lina la totalité des paiements de l'hypothèque et de la marge de crédit hypothécaire et procéder à la saisie de la maison si elle ne s'acquitte pas de ses obligations. Il en est de même des paiements de l'automobile, dont elle a cautionné la location.

En cas de décès, il n'est pas rare que des conjoints se retrouvent copropriétaires de leur résidence avec leurs enfants mineurs. Pire, si les héritiers sont les enfants majeurs nés d'une union précédente ou les beaux-parents, ils peuvent exiger le partage et la vente de l'immeuble sans autre égard au droit d'habitation du conjoint de fait.

CHAPITRE 6
Le droit de la famille et les successions

Si le droit des personnes est celui qui dicte les droits et obligations des individus dans la société, leur capacité à exercer leurs droits civils, l'assistance aux personnes incapables, comme les mineurs ou les personnes inaptes, le droit de la famille dicte les règles applicables aux couples mariés ou unis civilement, leurs enfants naturels ou adoptés ainsi que leurs relations avec leurs biens.

Nous avons déjà vu que les couples qui ne sont pas mariés ou unis civilement n'ont pas le droit d'exiger quoi que ce soit l'un de l'autre. Pour l'instant du moins et tant que la loi n'aura pas été modifiée[7], ils n'ont pas droit à une pension alimentaire pour eux-mêmes en cas de rupture, même si l'un d'eux a mis sa carrière en veilleuse pour s'occuper des enfants.

Sans mandat donné en prévision de l'inaptitude en leur nom et sans procuration formelle pour accéder au compte de banque et gérer les biens de la famille, ils peuvent se retrouver à la rue avec des factures à payer.

Quant au droit de la famille, qui établit les règles du mariage et de l'union civile ainsi que les droits relatifs au patrimoine familial  et au régime matrimonial, il ne s'applique pas aux conjoints de fait. Il faut garder en mémoire qu'à ce chapitre, ils sont toujours considérés comme deux célibataires vivant sous le même toit. Ils auront en commun ce qu'ils auront accepté de mettre dans des conventions écrites en bonne et due forme.

---

7. Ce livre a été rédigé en 2010.

Le droit des successions

Les successions sont aussi soumises aux règles établies par le *Code civil du Québec*, lesquelles s'appliquent à la planification successorale, comme à la liquidation des successions après le décès. Les lois fiscales ont aussi un grand rôle à jouer. Il en sera question plus loin.

Qui peut hériter?

Pour recevoir une succession, il faut être une personne physique et exister au moment du décès de la personne. Dans le cadre d'une procédure que les juristes appellent la «dévolution légale de la succession», les biens du défunt seront remis à ceux qui se qualifient pour lui succéder, sauf s'il avait rédigé un testament.

La succession légale est dévolue au conjoint survivant marié ou uni civilement et aux parents du défunt qui lui survivent. S'il a des descendants, soit des enfants et des petits-enfants, ceux-ci vont hériter avec le conjoint marié ou uni civilement survivant. Les enfants recevront les deux tiers de la succession et l'époux ou le conjoint uni civilement, un tiers. Par contre, s'il n'y a pas de conjoint survivant et uniquement des enfants, ceux-ci recevront la totalité des biens de la succession. S'il n'y a pas d'enfants ou de petits-enfants, l'époux ou le conjoint uni civilement survivant partagera la succession avec les parents toujours vivants du défunt dans les proportions suivantes : deux tiers au conjoint et un tiers aux parents.

Dévolution d'une succession sans testament au Québec				
	Conjoint	Enfant	Parent	Frère/ sœur
Conjoint[t] survivant sans enfant sans parent sans frère/sœur	100 %	s.o.	s.o.	s.o.

Conjoint survivant avec enfant[tt]	1/3	2/3	s.o.	s.o.
Conjoint survivant sans enfant avec parent[ttt]	2/3	s.o.	1/3	s.o.
Conjoint survivant sans enfant, sans parent avec frère/sœur	2/3	s.o.	s.o.	1/3

[t] Époux et conjoints unis civilement.

[tt] La loi utilise le terme « descendant », c'est-à-dire que les petits-enfants pourraient hériter.

[ttt] La loi utilise le terme « ascendant », c'est-à-dire que les parents, les grands-parents et les arrière-grands-parents pourraient aussi hériter.

Si Michel ne reprend pas connaissance, Lina n'héritera de rien, car celui-ci n'a pas fait de testament en sa faveur. Comme Sabrina est toujours mariée avec Michel, elle pourra demander le partage du régime matrimonial et du patrimoine familial en raison du décès. De plus, elle pourra prétendre à un tiers de la succession de Michel alors que les deux tiers iront aux enfants qu'il a eus avec Lina. Si Sabrina et Michel étaient divorcés, les enfants recevraient la totalité de la succession.

Le conjoint de fait pourrait avoir droit à certaines prestations d'assurance ou de rente s'il a été désigné bénéficiaire dans le contrat. La désignation de bénéficiaire fait en sorte que la prestation d'assurance ou de rente n'est pas incluse dans la succession. De ce fait, elle est à l'abri des créanciers de la personne décédée et elle ne pourrait pas être réclamée par les héritiers légaux.

Si Lina est désignée bénéficiaire de l'assurance vie de Michel, le capital décès lui sera versé, libre d'impôt. Comme il ne fait pas partie de la succession de la personne décédée, le capital décès d'assurance ne pourra pas servir à payer les dettes de la personne décédée. De plus, Sabrina ne pourra y prétendre d'aucune façon, les contrats d'assurance vie et maladies graves ne faisant pas partie du patrimoine familial. Ils ne peuvent donc être partagés à ce titre.

Certaines lois, comme la *Loi sur l'assurance automobile du Québec*, la *Loi sur les accidents de travail* ou sur la *Loi sur l'indemnisation des victimes d'actes criminels*, accordent certaines prestations au conjoint de fait s'il satisfait à toutes les exigences à cette fin.

Les testaments

La « liberté de tester » est un principe absolu en droit civil. Cela signifie qu'une personne peut léguer ses biens à qui elle l'entend, sans restriction, à une exception près : les lois sur les régimes de retraite qui obligent à transmettre les biens du régime à l'époux ou à un conjoint de fait qui se qualifie. Le patrimoine familial qui peut être partagé au décès limite aussi la possibilité de transmettre la totalité de la valeur des biens aux héritiers.

Il n'y a donc aucune restriction légale à ce que le conjoint de fait hérite d'une partie ou de la totalité des biens de la personne décédée, à condition qu'un testament valide le prévoie expressément.

CHAPITRE 7
Les droits des enfants

Bonne nouvelle! Les enfants ont des droits, peu importe que leurs parents soient mariés ou unis civilement ou qu'ils soient les enfants naturels ou adoptés d'un couple vivant en union libre.

Curieusement, les parents ont aussi des droits : les enfants de tous âges doivent respect à leur père et mère et ont une obligation alimentaire envers leurs parents dans le besoin!

Cela dit, le discours qui suit est plus habituel. Les parents ont le devoir de surveillance, de garde et d'éducation de leurs enfants. Ils doivent les nourrir et les entretenir. Cette obligation est d'ordre public[8] et ne dépend pas de l'attitude des enfants à l'égard de leur père et leur mère.

Sauf en de très rares occasions où un parent est déchu par un tribunal, les parents exercent ensemble l'autorité parentale[9] à l'égard de leurs enfants. Les deux, même séparés ou divorcés, sont, d'office, tuteurs de leurs enfants mineurs, sous réserve des aménagements qui pourraient être apportés par une convention ou un jugement de garde d'enfant. Si l'un des parents ne peut plus exercer ses droits parce qu'il en est incapable ou en raison d'un décès, c'est l'autre parent qui doit les exercer sans autre formalité.

---

8. Cette expression signifie qu'on ne peut y déroger. C'est une obligation impérative de la loi.

9. L'autorité parentale est le droit et le devoir des parents d'éduquer et de prendre soin de leurs enfants, de leur fournir les biens essentiels à la vie et de veiller à leur bon développement.

Comme Michel ne peut évidemment plus exercer ses droits parentaux, Lina est commise d'office pour le faire à titre de tutrice légale de ses enfants mineurs. Ce n'est pas une tâche facile. Elle doit exercer cette fonction dans le meilleur intérêt des enfants.

Il est également possible de nommer un tiers, autre que le tuteur légal, pour administrer les biens des enfants mineurs dans un testament. On peut aussi créer une fiducie en leur faveur. La fiducie doit être créée dans le testament. Elle permet de mettre les biens légués aux enfants de côté et de nommer une ou plusieurs personnes comme fiduciaire pour les administrer en attendant qu'ils aient la capacité de les administrer eux-mêmes. En plus de soustraire l'administration des biens en fiducie à l'administration du tuteur légal, elle permet de retarder leur remise au-delà de l'âge de 18 ans. Alors que le tuteur ou l'administrateur des biens du mineur doivent remettre les biens aux enfants quand ils atteignent l'âge de 18 ans, le fiduciaire peut les remettre au moment fixé dans l'acte de fiducie, comme par exemple un quart lorsque l'enfant aura 21 ans, un quart à 25 ans, un autre à 30 ans et enfin le dernier quart à 35 ans. C'est une façon pour le testateur de garder un certain contrôle sur la façon et le moment où ses biens seront transmis après son décès.

Même si les conjoints en union libre n'ont pas de droit l'un sur l'autre, leurs enfants, eux, en ont. Ils ont les mêmes droits que les enfants dont les parents sont mariés ou unis civilement, c'est-à-dire que leurs parents doivent les entretenir, leur fournir les biens nécessaires à la vie, proportionnellement à leurs moyens. S'il y a séparation du couple, les deux parents doivent leur payer une pension alimentaire et leur assurer les biens nécessaires à la vie, dont un lieu où résider.

Sauf en ce qui concerne les droits spécifiques reconnus aux époux et aux conjoints unis civilement, les conjoints de fait ont les mêmes droits que tous les individus pouvant exercer leurs droits civils. Cependant, leur statut ne leur donne pas accès aux règles plus souples et aux procédures accélérées devant les tribunaux spécialisés pour l'exercice des droits entre époux ou conjoints unis civilement. Lorsqu'ils sont en situation de conflit, ils doivent s'adresser aux tribunaux de droit commun pour faire reconnaître leurs droits, sauf en ce qui concerne ceux des enfants qui, eux, ont accès au tribunal de la famille. Les conjoints de fait doivent donc avoir de bons documents légaux pour appuyer leurs prétentions.

Si Michel devait rester dans le coma pendant une longue période, Lina pourrait demander au tribunal de lui accorder la garde légale des enfants et une pension alimentaire pour leur entretien et leur éducation. Elle pourrait aussi essayer d'obtenir un droit d'habitation dans la résidence familiale pour eux. Le mandataire ou le curateur de Michel le représentera si des procédures judiciaires sont entreprises. Les enfants peuvent aussi réclamer une pension alimentaire à la succession de leur père s'il décédait.

CHAPITRE 8
D'où provient le mythe des trois ans de vie commune?

Il existe une légende quasi mythique persistante qui résiste à toutes les campagnes d'information, voulant que trois années de vie commune équivaillent à un mariage. **Rien n'est plus faux.** Faut-il mentionner toutes les histoires où des conjoints de fait se sont retrouvés dans des situations pénibles à cause de ce mythe?

Comment se fait-il que cette fausse croyance ait la vie aussi dure? **Les grandes coupables sont les lois à caractère social, dont il sera question dans les prochains chapitres et qui sont énumérées à la fin de ce livre. Ces lois contiennent des dispositions qui touchent les conjoints de fait. Comme nous l'avons mentionné, l'état civil officiel des conjoints de fait est celui de «célibataire».** Pour que ces lois s'appliquent aux personnes en couple vivant en union libre, il faut déterminer des paramètres, définir la notion de «conjoints de fait».

Cette définition est le plus souvent fondée sur la période pendant laquelle deux personnes ont vécu ensemble dans une «relation conjugale». Elle vise indifféremment les couples de sexe différent et les couples de même sexe depuis que la Cour suprême du Canada a statué sur les droits des conjoints de même sexe à la fin des années 1990.

À la même époque, la Cour suprême du Canada a aussi précisé les critères à évaluer pour décider s'il existe ou non une «relation conjugale» entre deux personnes. Les caractéristiques généralement acceptées sont les suivantes: le fait de partager le même toit, les activités sociales, les services et le soutien financier, l'image sociétale[10] du couple, les relations interpersonnelles et la sexualité.

---

10. L'image sociétale se réfère à la façon de se présenter en public comme un couple ou comme des célibataires, dans la vie de tous les jours.

Chaque situation est analysée individuellement. Une relation conjugale peut exister sans qu'il y ait de rapports sexuels si les autres conditions sont réunies. Certaines décisions du Tribunal administratif du Québec (TAQ) vont très loin dans l'interprétation de la notion de services et de soutien financier dans l'application de certaines lois sociales, dont la *Loi sur l'aide sociale*.

Il faut aussi porter attention à la relation qu'un nouveau conjoint peut entretenir avec les enfants de son conjoint, nés d'une union précédente. Ainsi, si ce nouveau conjoint constitue le principal soutien financier des enfants, il est possible que, même sans adoption, le couple soit considéré comme des conjoints de fait, sans autre formalité.

De toute évidence, il est impossible d'examiner chacune des lois qui concernent les conjoints de fait. Sauf exception, la plupart d'entre elles leur accordent des droits assez limités. Nous ne verrons dans ce livre que les lois qui risquent d'avoir un impact important sur le quotidien.

CHAPITRE 9
Les impôts

Entre toutes, les lois fiscales sont celles qui affectent le plus la vie de tous les jours. Le fait de savoir comment fonctionne notre système fiscal revêt donc une importance particulière. De fait, l'impôt retire de l'argent de nos poches lors de chaque période de paie. De plus, l'administration de plusieurs programmes sociaux est calculée sur la base du revenu net fiscal individuel ou familial.

Depuis 1967, où le célèbre *Rapport Carter* a été déposé, la famille est considérée comme une entité économique aux fins de l'impôt. Le système fiscal est donc organisé pour tenir compte de l'apport de cette entité à la société, d'où l'empressement des gouvernements à reconnaître les conjoints de fait comme partie prenante d'une entité familiale à tous égards, identique à la famille formée par les conjoints mariés.

Le fait de vivre seul comporte un coût émotif. Les statistiques des dernières années démontrent en effet que les personnes vivant en couple ont une santé et une hygiène de vie meilleures et qu'ils vivent en général plus vieux, exception faite des femmes vivant seules qui battent tous les records de longévité. Étonnamment, au Canada et au Québec, un coût fiscal important est lié au fait de vivre à deux ! Les jeunes couples avec ou sans enfant et les personnes âgées peuvent subir un fardeau fiscal beaucoup plus important en raison du fait qu'ils vivent dans une relation conjugale, qu'ils soient mariés, unis civilement ou conjoints de fait[11].

---

11. Pour plus de détails sur ces questions, nous référons le lecteur aux courbes de Claude Laferrière pour l'année 2010, qui peuvent être consultées en exclusivité sur le site Internet du Centre québécois de formation en fiscalité (CQFF) : www.cqff.com.

Le revenu net fiscal des conjoints, apparaissant sur les déclarations de revenus fédérale et provinciale, sert de base au calcul de l'admissibilité aux divers programmes sociofiscaux, à certains crédits d'impôt ou à la récupération des sommes versées en trop. La fiscalité touche tout le monde, les couples avec ou sans enfant, les étudiants, les aînés, les travailleurs, les chômeurs, les prestataires d'aide financière de dernier recours, ne serait-ce que pour recevoir les crédits d'impôt sur les taxes à la consommation comme la TPS et la TVQ.

Ne vous trompez pas, les lois fiscales prévoient que vous devez payer de l'impôt jusqu'à votre décès, et même après.

Les conjoints de fait sont reconnus à des fins fiscales

Pour être considéré comme « conjoints de fait », au sens des lois fiscales, il faut avoir cohabité pendant une période d'au moins 12 mois ou être les parents d'un enfant né du couple ou adopté, auquel cas la période de 12 mois de cohabitation ne s'applique pas. Tel que mentionné plus tôt, le fait, pour un conjoint, d'être le principal soutien de l'enfant de son conjoint peut aussi déclencher l'application des règles touchant les conjoints de fait, sans égard au délai de 12 mois.

Du moment que ces critères sont remplis, c'est la case « conjoint de fait » qui doit être cochée sur la déclaration de revenus annuelle. Dès lors, le couple en union libre a exactement la **même position fiscale** que le couple marié, pour le meilleur et pour le pire !

Par exemple, Sophie et Martine forment un couple de conjointes de même sexe. Elles ont commencé à cohabiter le 1er juillet 2009. Elles sont donc considérées comme des conjointes de fait, à des fins fiscales, depuis le 1er juillet 2010.

Sylvie et Philippe ont commencé à cohabiter le 1er juillet 2010. Leur fille est née le 5 septembre 2010. Ils sont donc conjoints de fait, sur le plan fiscal, à partir du 5 septembre 2010, bien que leur période de 12 mois de cohabitation ne soit pas complétée.

Les particularités de l'union civile

Les couples unis civilement sont reconnus comme tels par la *Loi sur les impôts du Québec* dès la célébration de l'union. Par contre, la *Loi de l'impôt sur le revenu* du gouvernement du Canada ne reconnaît pas ce genre d'union. Les conjoints unis civilement peuvent avoir le statut de conjoints de fait. La naissance ou l'adoption d'un enfant ou, à défaut, une période de cohabitation de 12 mois est donc nécessaire pour que les conjoints unis civilement puissent avoir le même statut que les époux pour le gouvernement fédéral.

Pourquoi déclarer son état civil aux autorités fiscales?

Les planificateurs financiers entendent souvent cette réflexion: « Encore faut-il que l'impôt le trouve ! »

Notre système fiscal est un système d'*autocotisation*. En termes clairs, cela signifie que chaque particulier est responsable de déclarer au gouvernement son état civil et ses revenus et de calculer ses impôts payables pour la période couverte par une année civile, soit du 1er janvier au 31 décembre. Les déclarations de revenus doivent être produites au plus tard le 30 avril pour les particuliers. Les individus qui exploitent une entreprise non incorporée et leur conjoint ont un délai supplémentaire, soit jusqu'au 15 juin, pour produire leur déclaration de revenus annuelle. Ils doivent quand même avoir acquitté tout solde d'impôt le 30 avril au plus tard, sinon ils devront payer des intérêts.

Par exemple, en ce qui concerne Michel et sa conjointe Lina, il leur sera possible de produire tous les deux leur déclaration de revenus le 15 juin de chaque année parce que Lina exploite une entreprise à son compte. Ils devront toutefois s'assurer tous les deux qu'ils ont fait suffisamment de remises d'impôt, sous forme de retenues à la source ou d'acomptes provisionnels, pour couvrir tous leurs impôts dus, au plus tard le 30 avril.

Qui doit faire une déclaration de revenus?

Toute personne résidant au Canada plus de 180 jours par année et toute personne qui réside au Québec le 31 décembre de chaque année doivent faire une déclaration de revenus aux gouvernements fédéral et provincial québécois et payer ses impôts en conséquence. Chacun est responsable de déclarer avec exactitude sa situation fiscale. Les fausses représentations ou l'omission de déclarer son état civil réel ou ses revenus de toute provenance peuvent mener à des sanctions sévères pouvant même aller jusqu'à des peines d'emprisonnement dans les cas graves d'évasion fiscale.

L'information, entre les gestionnaires de l'impôt et des programmes gouvernementaux, est de plus en plus fluide, l'informatique aidant. La nature humaine étant ce qu'elle est, personne n'est à l'abri d'une délation de la part d'un meilleur ami devenu pire ennemi, d'un ancien conjoint frustré ou d'un voisin jaloux. Omettre de donner les renseignements requis peut coûter cher en intérêts et en pénalités.

L'omission de déclarer correctement peut être régularisée

N'allez surtout pas croire qu'il n'y a aucune conséquence au défaut de déclarer correctement son état civil au fisc. En fait, il s'agit de renseignements qui doivent apparaître sur le formulaire prescrit de la déclaration de revenus à produire annuellement, soit la T1 au fédéral, et la TP-1.D au Québec.

Le contribuable est responsable des erreurs contenues dans sa déclaration de revenus, sauf erreur lourde du professionnel chargé de la remplir. S'il s'avérait que ce formulaire contient des renseignements faux ou des omissions, les autorités fiscales pourraient faire enquête et vérifier les déclarations de revenus des six dernières années. S'il s'agit d'actes pouvant être assimilés à une fraude, cette enquête ne sera pas assujettie à une limite dans le temps.

En ce qui concerne le défaut de déclarer son statut de conjoint de fait, l'enquête s'arrêterait à 1993, année durant laquelle les règles applicables aux conjoints mariés sont aussi devenues applicables aux conjoints de fait de sexe différent, et ce, tant au fédéral qu'au provincial. Quant aux conjoints de même sexe, leur statut est reconnu au Québec depuis le 16 juin 1999, mais seulement depuis 2001 au fédéral. Les conjoints de même sexe, tant au fédéral qu'au provincial, pouvaient toutefois choisir que ces dispositions s'appliquent à eux à partir de 1998.

Les conjoints de fait repentants

Les conjoints de fait qui n'ont pas déclaré correctement leur état civil au fil des ans et qui voudraient régulariser leur situation peuvent produire des déclarations de revenus amendées pour les années concernées. Il ne faut toutefois pas oublier qu'ils seront alors soumis aux intérêts et pénalités applicables, ce qui pourrait devenir très onéreux si plusieurs années sont en cause. Il serait alors préférable d'en discuter au préalable avec les autorités concernées. Il est possible de faire une divulgation volontaire anonyme en passant par un avocat, à condition de ne pas déjà faire l'objet d'une enquête.

L'amour a un prix !

Le coût fiscal associé au fait d'être mariés ou conjoints de fait au Québec est appréciable. Il n'y a qu'à consulter les célèbres courbes de Claude Laferrière pour s'en convaincre. Ces courbes permettent de connaître les taux réels d'imposition sur un revenu additionnel pour les particuliers résidant au Québec. Par exemple, il est possible d'évaluer le coût supplémentaire en impôt et en perte d'allocations provenant des programmes sociaux que représente le fait de vivre en couple (concept de « revenu familial net »)

comparé au fait d'être fiscalement célibataire. Un parent mono-parental ou une personne retraitée ou âgée de plus de 60 ans a intérêt à consulter ces courbes avant de s'engager dans une vie de couple. Ces courbes, mises à jour pour 2010, sont disponibles en exclusivité sur le site Internet public du Centre québécois de formation en fiscalité (CQFF) au www.cqff.com.

Malgré tout, être époux, conjoints unis civilement ou conjoints de fait aux fins de l'impôt sur le revenu ne comporte pas que des inconvénients. Il y a aussi des avantages importants qui sont accordés à la cellule familiale, notamment en ce qui a trait à la planification de la retraite ou à la succession, comme il en sera question plus en détails aux chapitres 18 et 19.

Comment déclarer son état matrimonial?

Au fédéral, l'Agence du revenu du Canada (ARC) veut connaître votre statut à des fins fiscales, non pas au moment où vous remplissez votre déclaration de revenus annuelle, mais au moment où vous remplissez les critères pour être considérés comme conjoints de fait. Pour éviter de recevoir des lettres récla-mant le remboursement des crédits de la taxe sur les produits et services (TPS), de versements de la Prestation fiscale canadienne pour enfants (PFCE) ou de la Prestation universelle pour garde d'enfants (PUGE) perçus en trop, chaque conjoint doit remplir le Formulaire *Changement d'état civil* (RC-65) et le retourner au centre fiscal de l'ARC de sa région. Ce formulaire doit être expédié au moment où le statut de conjoint de fait se concrétise.

Si nous reprenons l'exemple de Sophie et Martine, qui ont commencé à cohabiter le 1er juillet 2009, elles devront fournir le formulaire RC-65 de l'ARC le 1er juillet 2010. Pour Sylvie et Philippe, qui ont commencé à cohabiter le 1er juillet 2010 et dont la fille est née le 5 septembre 2010, ils devront produire le formulaire en septembre 2010. Il est possible de trouver un exemplaire de ce formulaire sur le site Internet de l'ARC au www.cra.arc.gc.ca/F/pbg/tf/rc65.

Aucun formulaire semblable n'existe au Québec. Une modification à l'état civil doit être indiquée dans la déclaration de revenus produite annuellement. Il doit y être mentionné si, au 31 décembre, le contribuable avait ou non un conjoint. Si un changement est survenu dans l'état civil d'une personne au cours de l'année, la date de ce changement doit être indiquée. Le calcul des divers crédits et prestations se fera rétroactivement à partir de la date d'effet du changement. Les autorités fiscales promettent que le contribuable continuera à recevoir les prestations auxquelles il est admissible, selon le calcul qui lui est le plus favorable pour l'année en cours. Les ajustements seront apportés à partir du 1er janvier de l'année suivante.

Au Québec, si vous vous êtes séparé de votre conjoint durant l'année, que vous êtes seul au 31 décembre mais que votre séparation est survenue il y a moins de 90 jours, le statut de « conjoint de fait » doit être indiqué. Cette mesure ne s'applique qu'au Québec. Tous ces petits détails ne sont pas simples à comprendre ni à retenir. Une visite sur le site Internet du ministère du Revenu peut vous aider : www.revenu.gouv.qc.ca/fr/citoyen/situation/separation_divorce/modification-état-civil.aspx.

Déclaration de revenus du Québec (TP-1.D)
Votre situation le 31 décembre 2010 (voyez la définition du terme *conjoint au 31 décembre 2010*) 1 ❑ Sans conjoint ou conjointe 2 ❑ Avec conjoint ou conjointe
Si votre situation (ligne 12) est différente de celle inscrite en 2009, inscrivez la date du changement*

Attention : le formulaire du Québec porte à interprétation pour les conjoints de fait. La date du changement n'est pas celle du début de la vie commune, mais celle où les conditions sont réunies pour que les deux personnes soient considérées comme conjoints de fait.

Par exemple, au moment de remplir leur déclaration de revenus pour l'année 2010, Sophie et Martine indiqueront : « sans conjoint ou conjointe ». Au 31 décembre 2010, leur période de cohabitation ne correspondait qu'à 6 mois et non 12. Au 31 décembre 2011, elles auront cohabité pendant une période de 18 mois ; elles devront donc cocher la case : « avec conjoint ou conjointe ».

Sylvie et Philippe, même s'ils n'ont cohabité que six mois au 31 décembre 2010, devront cocher la case « avec conjoint ou conjointe », leur fille étant née le 5 septembre 2010. Donc, au 31 décembre, étant les parents d'une enfant née de leur union, ils étaient considérés comme conjoints de fait.

Le défaut de déclarer son statut de *conjoint de fait* à des fins fiscales peut coûter cher. Il faudra alors payer les impôts ou rembourser l'argent dû à certains programmes sociaux, y compris les intérêts et les pénalités. Certains programmes et crédits sont accordés à partir d'un barème, établi en fonction du revenu net d'un individu ou d'une cellule familiale. Par exemple, le changement d'état civil pourra affecter l'admissibilité à des prestations comme la Prestation fiscale pour enfant (PFCE) et le Supplément de revenu garanti (SRG), ainsi que les crédits de TPS et de TVQ.

Cours 101 sur la déclaration de revenus

Du moment que deux personnes résidant au Canada deviennent des conjoints de fait aux yeux de la loi, leurs revenus combinés peuvent servir de base pour déterminer leur admissibilité à certains programmes sociofiscaux et calculer plusieurs crédits d'impôt. Ainsi, tant au fédéral qu'au provincial, les renseignements suivants doivent être fournis dans la déclaration de revenus:

Déclaration de revenus et des prestations T1 Générale 20XX (fédéral)	Déclaration de revenus du Québec (TP-1.D)
Renseignements sur votre époux ou conjoint de fait	Renseignements sur votre conjoint au 31 décembre
Numéro d'assurance sociale du conjoint	31 Nom de famille et prénom
Prénom	36 Date de naissance
Revenu net	37 Date du décès si survient dans l'année
Montant de la Prestation universelle pour garde d'enfants (PUGE)	41 Numéro d'assurance sociale
Montant de remboursement de la Prestation universelle pour garde d'enfants (PUGE)	50 Indiquer si le conjoint a gagné des revenus comme travailleur autonome
Est-il un travailleur indépendant en 20XX?	51 Revenu net de votre conjoint
	52 Si, le 31 décembre 20XX, votre conjoint ne résidait pas au Québec, inscrivez la province, le territoire et le pays où il résidait.

Une fois ces renseignements fournis, ils serviront de base au calcul de certains crédits d'impôt et du seuil d'admissibilité et de récupération des programmes sociaux auxquels votre famille aura droit pour l'année.

Le calcul du revenu

Les déclarations de revenus procèdent en une série d'étapes qui, ultimement, doivent aboutir à déterminer l'impôt à payer ou le remboursement à recevoir.

La première étape consiste à calculer le revenu net fiscal pour une année donnée. Lorsqu'une personne réside au Canada, tous les revenus gagnés, peu importe où dans le monde, sont imposables et doivent être déclarés au Canada. Les revenus pris en compte sont :

- les revenus d'emploi pour lesquels un feuillet fiscal T4 ou Relevé 1 au Québec sont émis, les avantages tirés d'un emploi, comme les options d'achat d'actions, l'usage d'une automobile mise à la disposition d'un employé, la valeur d'une place de stationnement gratuite ou subventionnée, les jetons de présence des administrateurs ou autres honoraires, les primes d'assurance vie collective payées par l'employeur, moins certaines dépenses qui peuvent être déduites, comme les frais judiciaires et comptables qui ont servi à récupérer des traitements ou salaires, les frais de déplacement non remboursés ou pour lesquels aucune allocation non imposable n'est payée, certains frais de repas et les dépenses d'automobile et de stationnement, les cotisations syndicales et professionnelles non remboursées par l'employeur et les frais d'un bureau à domicile. Les employés à commission ont droit à certaines déductions qui leur sont propres, telles que les dépenses de publicité et de promotion, les assurances responsabilité, les permis et licences et autres ;

- les revenus d'entreprises des particuliers et des professionnels, moins les dépenses admissibles pour gagner ce revenu ;

- les revenus de biens, comme les intérêts ou les dividendes rapportés sur un feuillet fiscal T5 et Relevé 3, moins certaines dépenses, comme les frais de courtier, pour acquérir ou vendre certains placements, et les frais d'intérêt sur de l'argent emprunté pour gagner un revenu ;

- les revenus et pertes de location ;

- les revenus et pertes provenant d'entreprises agricoles ou de pêche ;

- les autres revenus qui constituent une catégorie « fourre-tout » où sont inclus, entre autres, les revenus de retraite, les rentes achetées auprès de certaines institutions financières, dont les assureurs et les sociétés de fiducie, les rentes provenant de la Régie des rentes du Québec, les allocations de retraite, la prestation consécutive au décès, les pensions alimentaires imposables reçues, les allocations de formation, les bourses, les subventions de recherche, les prestations d'assurance parentale, les prestations d'assurance emploi, les indemnités d'accident du travail. De ces sommes, certaines déductions sont permises, telles que la partie d'un versement de rente qui représente du capital, la portion non imposable de la pension alimentaire pour époux ou enfants, la moitié des cotisations au Régime des rentes du Québec (RRQ) pour les travailleurs indépendants, les cotisations au REER et autres ;

- la moitié, soit 50 %, des gains et des pertes en capital réalisés au cours de l'année[12].

Un gain en capital est réalisé lorsque que l'on vend, donne ou que l'on dispose autrement d'un bien dont la valeur a augmenté depuis son acquisition. Ces biens peuvent être des immeubles, des actions de compagnies publiques ou privées, des tableaux, des œuvres d'art, des collections.

---

12. Les éléments énumérés dans ce chapitre ne le sont qu'à titre d'illustration pour faciliter la compréhension. Les lois fiscales contiennent plus d'éléments à être considérés au cas par cas.

Par exemple, Michel a hérité d'un immeuble qu'il a vendu en 2010. Au moment de l'acquisition, l'immeuble valait 100 000 $. À la revente, il a encaissé 150 000 $, soit un profit de 50 000 $. En supposant que la commission de son agent d'immeuble lui a coûté 7 500 $, au moment de remplir sa déclaration de revenus de 2010, il doit ajouter 21 250 $ à son revenu imposable, soit 50 % de son profit moins les frais de vente.

Les pertes en capital réalisées dans l'année peuvent réduire le gain en capital imposable de la même année. Si les pertes excèdent le gain réalisé, elles peuvent être utilisées lorsque d'autres gains en capital sont réalisés, soit dans les trois années précédentes ou jusqu'à l'infini dans l'avenir, selon le type de biens. Certains biens sont exonérés de l'impôt sur le gain en capital, comme la résidence principale.

Si l'immeuble vendu par Michel, dans l'exemple du calcul du revenu net, avait servi de résidence principale, il aurait pu soustraire le montant du gain en capital réalisé par le montant de l'exonération disponible.

Tous les revenus sont additionnés. Il est ensuite possible de déduire certains éléments, comme les contributions au REER, les cotisations à un régime de retraite de l'employeur, les frais de garde d'enfants au  fédéral, la pension alimentaire déductible payée au bénéfice du conjoint séparé ou divorcé. On arrive alors au revenu net fiscal.

Voici un exemple du revenu net fiscal de Michel et de Lina pour l'année 2010:

Revenu 2010		
T-1 Fédéral	Michel	Lina
Revenus d'emploi (T4)	92 000	0
Revenus d'intérêts (T5)	1 250	25
Gain en capital imposable	21 500	
Revenus d'entreprise	0	48 000
Revenu total	114 750	48 025
Déductions		
Déduction pour RPA[13]	3 000	
Déduction pour REER	2 500	6 000
Déduction pour cotisation au RRQ (travailleur indépendant)		2 163
Déduction pour cotisation au RQAP[14] (travailleur indépendant)		325
Revenu net fiscal	109 250	39 537

Ce revenu peut différer entre le fédéral et le provincial en raison des distinctions entre les déductions permises au fédéral et celles qui sont admissibles au Québec. Une déduction permet de réduire le revenu à la base. Sa valeur sera donc plus importante lorsque le revenu du particulier est plus élevé, car elle permettra possiblement d'accéder à un palier d'imposition inférieur et, du même coup, à un taux d'imposition moindre.

Au Québec, par exemple, il existe, en 2010, une déduction pour travailleur égale à 6 % du revenu de travail admissible, jusqu'à

---

13. RPA signifie Régime de pension agréé, il s'agit du régime de retraite de l'employeur.

14. RQAP signifie Régime québécois d'assurance parentale.

concurrence de 1 030 $. **Cette déduction permet de réduire directement le revenu net fiscal** des personnes qui travaillent. Au fédéral, le montant pour emploi est un crédit d'impôt non remboursable, dont le maximum est de 15 % x 1 051 $ = 157,65 $. **Ce montant réduit l'impôt à payer**.

Le calcul du revenu imposable

L'étape suivante consiste à calculer le revenu imposable et à faire les ajustements prévus, pour ajouter les montants reçus qui ne sont pas pris en compte dans le calcul du revenu net et pour déduire ceux qui sont inclus dans ce calcul, mais qui ne font pas partie du revenu sur lequel l'impôt doit être payé. Ce qui n'est pas chose simple !

Par exemple, le conjoint qui a le revenu le moins élevé doit inclure le montant de la Prestation universelle pour la garde d'enfants (PUGE), puisque ce montant est imposable au fédéral et au Québec. Par contre, il est exclu du calcul du crédit de TPS et de TVQ et du montant de la Prestation canadienne de soutien aux enfants (PCSE) qui, lui, n'est pas imposable.

Au Québec, le calcul du revenu net fiscal exige que certaines sommes non imposables, comme les bourses d'études reçues dans le cadre du Programme d'aide financière aux études du gouvernement[15], ou le supplément reçu dans le cadre d'un programme gouvernemental d'incitation au travail, soient incluses dans le calcul du revenu net pour déterminer certaines prestations d'aide à la famille ou le crédit sur les taxes à la consommation. Ces montants sont déduits du revenu imposable.

Le calcul du montant de l'impôt à payer

Une fois le montant du revenu imposable déterminé, il faut calculer l'impôt à payer sur cette somme. Pour ce faire, il faut appliquer les taux d'impôt prévus pour l'année en question. Plus le revenu est élevé, plus le taux d'imposition augmente.

---

15. Pour plus de détails, consultez le site www.afe.gouv.qc.ca.

Paliers d'imposition 2010			
FÉDÉRAL		QUÉBEC	
40 970 $ ou moins	15 %*	38 570 $ et moins	16 %
40 971 $ – 81 940 $	6 145 $ + 22 % x 40 971 $ et plus	38 570 $ – 77 140 $	6 171 $ + 20 % x 38 570 $ et plus
81 941 $ – 127 020 $	15 159 $ + 26 % x 45 080 $ et plus	77 140 $ et plus	13 885 $ + 24 % sur le reste
126 021 $ et plus	26 880 $ + 29 % sur le reste		
Taux applicable aux crédits d'impôt	15 %	Taux applicable aux crédits d'impôt	20 %
Crédit d'impôt pour les dons de bienfaisance – maximum 75 % du revenu net	15 % sur les premiers 200 $ – 29 % sur l'excédent	Crédit d'impôt pour les dons de bienfaisance – maximum 75 % du revenu net	20 % sur les premiers 200 $ - 24 % sur l'excédent
Taux d'indexation	0,6 %	Taux d'indexation	0,48 %
Abattement du Québec	16,50 %		

*Il est à noter que, pour les résidants du Québec, la valeur réelle des crédits fédéraux est de 12,5 %, en raison de l'effet de l'abattement fédéral de 16,5 %.

Si nous tenons pour acquis que les revenus de Michel et de Lina, calculés plus haut, représentent leurs revenus imposables, voici un exemple du montant de l'impôt calculé avant l'application des divers crédits.

Revenu 2010							
Michel				Lina			
Revenu imposable				Revenu imposable			
FÉDÉRAL 109 250		QUÉBEC 108 225		FÉDÉRAL 39 537		QUÉBEC 38 557	
40 970 x 15 %	6 145	38 570 x 16 %	6 171	39 537 x 15 %	5 930	38 557 x 16 %	6 170
40 971 x 22 %	9 014	38 570 x 20 %	7 714	0 x 22 %		0 x 20 %	
27 309 x 26 %	7 100	31 085 x 24 %	7 460	0 x 26 %		0 x 24 %	
Impôt	22 259	Impôt	21 345	Impôt	5 930	Impôt	6 170

L'impôt minimum de remplacement

Contrairement à la croyance populaire à l'effet que les plus riches ne paient pas d'impôt, une personne ne peut pas réduire ses impôts à zéro en utilisant des abris fiscaux et autres allègements. Selon certaines règles, un impôt minimum doit être payé sur le revenu. Cet impôt minimum peut être exigé lorsque le revenu imposable excède 40 000 $ et que des événements extraordinaires, comme le fait de déclarer un gain en capital ou de réclamer des pertes, sont survenus dans l'année.

Par contre, il peut arriver dans certains cas, par exemple lors du départ à la retraite, que des sommes extraordinaires soient payées, comme des allocations de départ importantes. Il peut arriver que ces montants puissent être transférés en tout ou en partie dans des régimes enregistrés comme les REER. Les transactions relatives au transfert de sommes importantes dans un REER ou dans un autre régime enregistré de revenu pour la retraite ne sont pas soumises à cet impôt minimum, même si la déduction aura pour effet de réduire les impôts sous le seuil minimum. Ces calculs sont complexes et si on risque l'impôt minimum, mieux vaut consulter un comptable.

Les crédits d'impôt

Les crédits d'impôt servent à réduire l'impôt à payer. Ces crédits peuvent être remboursables ou non. Les crédits d'impôt non remboursables diminuent ou annulent le montant de l'impôt à payer. Ils sont donc directement soustraits de l'impôt payable. Si la totalité des crédits disponibles excède l'impôt à payer pour l'année, le solde de certains d'entre eux peut être transféré au conjoint de fait. Dans le cas contraire, ils sont perdus. Les crédits d'impôt remboursables sont pour leur part versés, même si le particulier ne paie aucun impôt sur le revenu. L'exemple le plus connu est le crédit pour les taxes à la consommation TPS et TVQ.

Les crédits d'impôt sont calculés selon le pourcentage établi du plus bas taux d'imposition applicable. Les montants admissibles au crédit sont indexés annuellement. **Ils sont égaux pour tous, quel que soit le revenu.** Lorsque les revenus se situent sous la limite de la première tranche d'imposition de 40 970 $ au fédéral et de 38 570 $ au Québec, les crédits d'impôt personnels équivalent à une déduction. Donc, plus le revenu est bas, plus les crédits d'impôt ont de la valeur.

Crédits d'impôt non remboursables 2010

	FÉDÉRAL 15 %		QUÉBEC 20 %	
Personnel de base	10 382		10 505	
Personne vivant seule – Supplément pour famille monoparentale	s.o.		1 230 1 525	Réduction 15 % x 1 $ de revenu à partir de 30 490
Conjoint ou personne à charge admissible	10 382	Réduction de 15 % à partir du 1er dollar gagné jusqu'à élimination.	s.o.	
Enfants à charge de moins de 18 ans (maximum par enfant)	2 101		s.o.	Prestations du RRQ (voir programmes sociofiscaux)
Contribution parentale pour enfants majeurs aux études	s.o.		6 925	Réduction 80 % du revenu de l'enfant
Supplément famille monoparentale	s.o.		1 520	Sans enfant mineur
Études postsecondaires temps plein (par mois)				

Montant pour études	400		s.o.	
Montant pour manuels	65		s.o.	
Études postsecondaires temps partiel (par mois)				
Montant pour études	120		s.o.	
Montant pour manuels	20		s.o.	
Études postsecondaires par session – étudiant de moins de 18 ans à charge	s.o.	s.o.	1 940	Limite : deux sessions par année – réduction 80 % du revenu de l'étudiant
Personne déficiente à charge de plus de 18 ans	4 223	Réduction à chaque 1 $ de revenu à partir de 4 960 ; nul à 10 154	s.o.	Crédit remboursable
Personnes majeures à charge	s.o.		2 820	En absence de transfert de la contribution parentale pour enfants majeurs aux études
Montant pour condition physique des enfants de moins de 16 ans	500	Montant maximal admissible	s.o.	

Montant pour emploi	1 051	Égal au revenu d'emploi maximum admissible 1 044 $	s.o.	Déduction pour travailleur – maximum 1 025 $
Montant pour titres de transport en commun	Coût	Coût mensuel ou plus	s.o.	
Montant pour les personnes âgées de 65 ans et plus	6 446	Réduction 15 % x 1 $ de revenu à partir de 32 312; nul à 75 032	2 260	Réduction 15 % x 1 $ de revenu à partir de 30 490; nul à 45 345
Revenu de pension	2 000		2 010	Réduction 15 % x 1 $ de revenu à partir de 30 345; nul à 43 678
Personne handicapée	7 239		2 390	Montant réduit si le supplément pour enfant handicapé est inclus dans le soutien aux enfants
Personne handicapée Supplément moins de 18 ans	4 223	Réduction des frais de garde et de préposé aux soins excédant 2 459; nul à 6 657	s.o.	

Aidant naturel	4 223	Réduction à chaque 1 $ de revenu à partir de 14 442	s.o.	Crédit remboursable
Frais d'adoption	10 975	Égal au montant maximal des dépenses admissibles	s.o.	Crédit remboursable
Frais médicaux	15 % de l'excédent de 2 024 ou 3 % x revenu net du contribuable		20 % x frais excédant 3 % x revenu net familial	
Dons de bienfaisance	Maximum 75 % x revenu net - 15 % x 200 $ et 29 % x excédent		Maximum 75 % x revenu net – 20 % x 200 $ et 24 % x excédent	

Ainsi, tout le monde a droit au maximum de certains crédits, alors que d'autres doivent obligatoirement être attribués au conjoint ayant le plus bas revenu.

Voici l'effet des crédits les plus communs sur l'impôt que Michel et Lina devront payer.

Crédits d'impôt non remboursables 2010				
Michel				
	FÉDÉRAL	15 %	QUÉBEC	20 %
Personnel de base	10 382	1 557	10 505	2 101
Enfants à charge de moins de 18 ans*			s.o.	
Cotisations au RRQ	2 163	325	s.o.	
Cotisations à l'AE	587,52	88,13	s.o.	
Cotisations au RPAP	315,25	47,44	s.o.	
Montant pour emploi	1 051	157,65		
Total des crédits non remboursables	14 499	2 175	10 505	2101

Crédits d'impôt non remboursables 2010				
Lina				
	FÉDÉRAL	15 %	QUÉBEC	20 %
Personnel de base	10 382	1 557	10 505	2 101
Enfants à charge de moins de 18 ans*	4 202	630	s.o.	
Cotisations au RRQ	2 163	325	s.o.	

Cotisations à l'AE	587,52	88,13	s.o.	
Cotisations au RPAP	315,25	47,44	s.o.	
Montant pour emploi	1 051	157,55		
Total des crédits non remboursables	18 700	2 805	10 505	2101

Michel ou Lina pourrait demander le crédit pour enfant à charge de moins de 18 ans, soit 2 x 2 101 x 15 %. Il n'est pas possible de diviser le crédit entre les deux parents. Si le crédit n'était pas entièrement utilisé par le parent qui le demande, le solde inutilisé pourrait être transféré à l'autre.

D'autres crédits, comme ceux qui s'appliquent aux dons de charité et aux frais médicaux, sont transférables entre conjoints. Il est parfois plus avantageux de laisser le conjoint qui a le plus faible revenu utiliser ces crédits en premier. Il faut évaluer plusieurs scénarios afin de déterminer quelle stratégie s'avérera plus profitable au couple et à la famille.

Les crédits d'impôt remboursables

Une fois calculés les crédits d'impôt non remboursables, certains crédits remboursables pourront être utilisés pour continuer à réduire l'impôt payable qui subsiste. Les crédits inutilisés se transformeront en un chèque ou en un virement électronique dans votre compte bancaire. Un crédit d'impôt remboursable est considéré comme de l'impôt prépayé. La plupart de ces crédits constituent une forme d'aide aux personnes ayant de plus faibles revenus. Il y a donc une limite au revenu admissible, laquelle est souvent calculée à partir du revenu net individuel ou familial.

L'impôt à payer

Une fois le total des crédits d'impôt calculé, il reste à déterminer le montant des impôts payables pour l'année en question.

Ainsi, la facture d'impôt finale de Michel et de Lina s'établirait comme suit:

Impôt à payer en 2010				
	Michel		Lina	
	FÉDÉRAL	QUÉBEC	FÉDÉRAL	QUÉBEC
Impôt	22 259	21 345	5 930	6 170
Abattement du Québec 16 %	(3 561)		(950)	
Crédits non remboursables	(2 175)	(21 01)	(2 805)	(2 101)
Impôt à payer	16 523	19 244	2 175	4 069

Seront aussi soustraits les retenues à la source ou les acomptes provisionnels qui auront été payés au cours de l'année. Ils donneront lieu à un remboursement d'impôt si des paiements en trop ont été faits. Ils seront appliqués au solde à payer, s'il y a lieu.

Puisque Lina travaille à son compte, il est possible qu'elle ait à ajouter, à ses impôts payables, les sommes relatives aux contributions au RRQ, à la RPAQ, selon les paiements qu'elle aura déjà effectués au cours de l'année.

CHAPITRE 11
Les programmes sociofiscaux

Tant au fédéral qu'au Québec, il existe divers programmes qui ont comme objectifs d'apporter un soutien particulier aux familles, aux personnes handicapées, aux aînés et aux aidants naturels ou de contribuer aux études ou à l'accession à la propriété. Ces programmes se traduisent par une aide financière directe ou des crédits d'impôt. Sauf exception, l'admissibilité à ces programmes et les montants à être versés ou à être remboursés, le cas échéant, sont déterminés en fonction du revenu familial net, soit le revenu combiné des deux conjoints.

Certains programmes sont universels, c'est-à-dire qu'ils sont offerts à tous les contribuables, alors que d'autres, comme l'aide aux familles, aux étudiants et aux aînés à faible ou moyen revenu, sont destinés plus particulièrement à certaines couches de la population.

Les crédits d'impôt sur les taxes à la consommation

Les taxes à la consommation sont perçues sur la plupart des produits et services. Le taux est de 5 % pour la taxe fédérale (TPS) et de 8,5 %, applicable sur le montant des achats majorés de la TPS, pour la taxe provinciale (TVQ). Le taux de la taxe provinciale est applicable à partir du 1er janvier 2011. Pour 2010, il était de 7,5 %. Certains produits sont exonérés de ces taxes, d'autres sont détaxés.

Par exemple, Lina achète une robe dont le coût est de 100 $. Le montant de la taxe fédérale est de 5 $. La TVQ est donc calculée, sur (100 $ + 5 $) x 8,5 % = 8,93 $. Le montant total à payer sera :

Prix de la robe :	100,00 $
TPS :	5,00 $
TVQ :	8,93 $
Montant total :	113,93 $

Dans un souci d'équité à l'égard des personnes et des ménages à faible revenu, les deux paliers de gouvernement ont instauré un crédit d'impôt remboursable calculé sur le revenu d'un individu ou sur le revenu net familial d'un couple. Pour obtenir le crédit, les deux conjoints doivent remplir une déclaration de revenus.

Le crédit sur la taxe fédérale sur les produits et services (TPS)

Ce crédit est offert aux personnes de 19 ans et plus au 31 décembre de l'année de référence. Ainsi, pour l'année 2011, les personnes admissibles sont celles qui auront 19 ans et plus le 31 décembre 2010. Certains mineurs sont admissibles s'ils sont mariés ou ont un enfant. Les quatre versements pour l'année sont effectués de juillet à juin. En 2010, le crédit est de 250 $ maximum par adulte et de 131 $ par enfant. Il commencera à être réduit lorsque le revenu familial net excède 32 312 $.

L'Agence du revenu du Canada (ARC) doit être informée de la naissance ou de l'adoption d'un enfant, ou encore lors d'un changement d'état civil (séparation, divorce, décès du conjoint, etc.). Le formulaire RC-65 doit être envoyé au moment du changement de façon à ce que les ajustements soient apportés aux prochaines prestations fiscales canadiennes pour enfants (PFCE), prestations universelles pour la garde d'enfants (PUGE), prestations de soutien aux enfants (PSE), à la Pension de la sécurité de la vieillesse (PSV) et aux prestations du Supplément de revenu garanti (SRG) et autres.

Le crédit sur la taxe de vente du Québec (TVQ)

Ce crédit est offert au couple, mais il ne peut être réclamé que par un seul des conjoints. En 2010, le crédit est de 178 $ par conjoint et de 121 $ par enfant. La réduction de 3 % surviendra lorsque le revenu familial atteindra 30 345 $. Ce crédit ne sera plus versé après décembre 2010. Il sera remplacé à partir de juillet 2011 par le crédit pour la solidarité qui sera versé mensuellement.

Les crédits pour les frais médicaux

Pour simplifier les choses, il y a, en réalité, deux crédits pour les frais médicaux. Il y a d'une part un crédit non remboursable pour les frais médicaux payés pour le bénéfice d'un individu, de son conjoint ou d'une personne à charge, pendant une période de 12 mois, laquelle peut commencer pendant l'année fiscale précédente, mais doit se terminer dans l'année où il est réclamé.

Michel et Lina ont payé des frais médicaux importants durant le dernier trimestre de 2009, soit à partir du 1er septembre 2009. Les frais encourus en 2009 n'ont pas pu être réclamés parce qu'ils n'atteignaient pas le minimum de 3 % du revenu net. Les frais accumulés entre le 1er septembre 2009 et le 31 août 2010 peuvent donc être réclamés en entier en 2010.

Les primes versées par les individus pour une assurance maladie privée font partie des frais médicaux qui peuvent être réclamés. Au Québec, la partie de la prime payée par l'employeur est imposable pour l'employé, mais elle peut aussi être ajoutée au calcul des frais médicaux aux fins du crédit. Ces informations sont normalement colligées sur les feuillets fiscaux T4 et Relevé 1, émis par l'employeur.

En plus du crédit non remboursable, les personnes dont le revenu familial est supérieur à 3 135 $ ont droit à un crédit remboursable. Le crédit est réduit lorsque le revenu atteint 23 775 $. Le montant maximum du crédit, 1 074 $, est indexé annuellement. Au Québec, le crédit maximal est de 1 061 $. Le revenu minimum pour réclamer le crédit est de 2 715 $. Le crédit est réduit lorsque le revenu familial atteint 20 525 $.

Les crédits pour les personnes handicapées

Pour avoir droit à ce crédit, une attestation médicale est requise démontrant que la personne est atteinte d'une déficience grave et prolongée qui l'empêche de remplir les activités courantes de la vie comme notamment parler, voir, entendre, marcher, éliminer, s'alimenter, s'habiller, etc. Ces personnes physiquement ou mentalement handicapées ont droit à certains programmes spéciaux de la part des employeurs pour lesquels elles ne sont pas imposées. De plus, le Régime d'accession à la propriété (RAP) dont il est question plus loin dans ce guide contient des règles particulières plus généreuses que celles dont bénéficient les autres contribuables. Il est possible de trouver plus de détails sur ces questions sur le site internet de l'Agence de revenu du Canada au www.cra-arc.gc.ca/F/pub/tp/it519r2-consolid/LISEZ-MOI.html.

Le Québec a aussi certains programmes spécifiques concernant les personnes handicapées dont entre autres le crédit pour aidants naturels, le crédit d'impôt pour les frais de déplacement et de logement (si le lieu où les soins de santé sont prodigués est situé à une distance de plus de 250 km du lieu de résidence), ainsi que certaines déductions relatives aux produits et services. Pour plus de détails consultez le site internet www.revenu.gouv.qc.ca/fr/citoyen/clientele/handicape/deficience.aspx.

Les programmes d'aide aux familles et aux enfants

Le crédit d'impôt pour enfant

Au fédéral, en 2010, les parents pouvaient profiter d'un crédit d'impôt non remboursable de 315 $ (15 % x 2 101 $) par enfant âgé de moins de 18 ans. Un seul des parents peut le réclamer. Ce crédit est universel, c'est-à-dire que tous les parents qui ont des enfants répondant à ces critères peuvent le réclamer, peu importe leur revenu. De plus, il est indexé annuellement.

La Prestation fiscale canadienne pour enfants (PFCE)

Il s'agit d'un programme fédéral destiné aux familles à faible et moyen revenu résidant au Canada et qui leur donne droit à un paiement mensuel non imposable pour les aider à subvenir aux besoins des enfants de 17 ans et moins. Le parent qui y a droit est le principal responsable des soins et de l'éducation de l'enfant. À partir de juillet 2011, des critères d'admissibilité modifiés permettront aux parents qui habitent séparément mais qui partagent la garde légale de leur enfant de partager la PFCE. Ce montant est versé chaque mois, de juillet à juin, et cesse automatiquement le mois suivant celui où l'enfant atteint l'âge de 18 ans. La demande doit être produite en utilisant le formulaire fiscal RC66. Pour les familles qui n'ont qu'un enfant, la PFCE est réduite de 2 % du revenu familial net lorsque celui-ci dépasse 40 970 $, et de 4 % pour les familles qui comptent deux enfants ou plus. Le montant est calculé en fonction du revenu net des deux parents, tel que rapporté sur la déclaration de revenus de l'année précédente. Ainsi, les revenus déclarés en 2010 serviront de base à l'établissement du montant de la prestation payable de juillet 2011 à juin 2012. Les familles dont le revenu est de moins de 40 970 $ peuvent bénéficier du Supplément de la prestation nationale pour enfants (SPNE), lequel est également réduit lorsque le revenu familial atteint 23 710 $.

Une prestation supplémentaire peut être versée aux enfants ayant une déficience physique ou mentale grave et prolongée et qui sont admissibles au crédit d'impôt pour personnes handicapées. Cette prestation peut atteindre 204,58 $ par mois pour chaque enfant admissible. Elle est calculée en fonction du revenu familial net rajusté, c'est-à-dire le revenu familial moins le montant de la PUGE. Il est possible d'obtenir de plus amples renseignements à ce sujet à l'adresse www.cra-arc.gc.ca/bnfts/cctb/menu-fra.html.

Il existe aussi un calculateur des prestations qu'on peut consulter en ligne au www.cra-arc.gc.ca/bnfts/clcltr/menu-fra.html.

La Prestation universelle pour la garde d'enfants (PUGE)

Les familles ont droit à un paiement de 100 $ par mois du gouvernement fédéral pour chaque enfant de moins de 6 ans, qu'il fréquente ou non un service de garde. Toutes les familles peuvent recevoir cette prestation, peu importe le revenu, et ce, même si aucune déclaration de revenus n'est produite. Le montant de la prestation devra toutefois être inclus dans le calcul du revenu du conjoint ayant le plus faible revenu. Ce montant n'est pas payé automatiquement. Pour l'obtenir, une demande doit être effectuée auprès de l'Agence du revenu du Canada (ARC). Si la PFCE est payée pour un enfant de moins de 6 ans ou si une demande de PFCE a été faite, la PUGE sera automatiquement versée. Pour l'année fiscale 2010, un parent chef de famille monoparentale peut désigner les montants qu'il a reçu de la PUGE comme étant le revenu de l'un de ses enfants mineurs. À partir de juillet 2011, les parents séparés ou divorcés qui assument la garde partagée de leurs enfants pourront choisir de partager la PFCE, la PUGE ainsi que la partie de TPS reçus relativement à l'enfant. Pour plus de détails, il est possible de consulter le guide des prestations canadiennes pour enfants au www.cra-arc.gc.ca/F/pub/tg/t4114/t4114-f.html.

Déduction pour les frais de garde d'enfants au fédéral

Cette déduction permet que soient remboursés les frais de garde lors de la production de la déclaration de revenus. Si plusieurs personnes ont droit à cette déduction, seule celle qui a le revenu net le plus faible pourra la demander, sauf exception. Les frais réclamés doivent avoir été engagés par les parents pour occuper un emploi, exploiter une entreprise, poursuivre des études, faire de la recherche subventionnée, etc.

Au fédéral, les frais de garde pour chercher un emploi ne sont pas admissibles. Des reçus portant le numéro d'assurance sociale de la personne qui rend les services de garde doivent être produits. Pour les enfants qui avaient moins de 7 ans à la fin de l'année, le plafond de la déduction est de 7 000 $, alors que pour les enfants dont l'âge se situait entre 7 et 16 ans, la déduction maximale est de 4 000 $. **Les frais de garde de 7 $ par jour, demandés par les Centres de la petite enfance subventionnés du Québec, sont admissibles à cette déduction.** Le plafond de la déduction est porté à 10 000 $ par année pour un enfant souffrant d'une incapacité grave. Elle ne peut excéder les deux tiers du revenu gagné par la personne qui la réclame.

Crédit d'impôt remboursable pour les frais de garde d'enfants au Québec

Les frais de garde payés peuvent être remboursés en partie par ce crédit remboursable, à condition de remplir une déclaration de revenus du Québec. Le plafond annuel est fixé à 9 000 $ pour les enfants de moins de 7 ans, et à 4 000 $ pour ceux qui ont entre 7 et 16 ans. **Il est à noter que les frais de garde de 7 $ par jour, payables dans les Centres de la petite enfance, ne sont pas admissibles à ce crédit.** Par contre, ceux de 14 $ par jour, payés durant la relâche scolaire, le sont.

Le taux du crédit applicable aux frais de garde réclamés est fixé en fonction d'un barème établi à partir du revenu familial net.

Paramètres du crédit pour 2009 et 2010

Revenu familial ($) 2009		Taux du crédit d'impôt	Revenu familial ($) 2010		Taux du crédit d'impôt
Supérieur à	Sans dépasser	%	Supérieur à	Sans dépasser	%
0	31 520	75	-	31 670	75
31 520	32 685	74	31 670	32 840	74
32 685	33 855	73	32 840	34 020	73
33 855	35 015	72	34 020	35 185	72
35 015	36 185	71	35 185	36 360	71
36 185	37 345	70	36 360	37 525	70
37 345	38 525	69	37 525	38 710	69
38 525	39 690	68	38 710	39 880	68
39 690	40 850	67	39 880	41 045	67
40 850	42 015	66	41 045	42 215	66
42 015	43 190	65	42 215	43 395	65
43 190	44 355	64	43 395	44 570	64
44 355	45 525	63	44 570	45 745	63
45 525	46 685	62	45 745	46 910	62
46 685	47 860	61	46 910	48 090	61
47 860	86 370	60	48 090	86 785	60
86 370	124 000	57	86 785	124 595	57
124 000	125 175	54	124 595	125 775	54
125 175	126 350	52	125 775	126 955	52
126 350	127 525	50	126 955	128 135	50
127 525	128 700	48	128 135	129 320	48
128 700	129 875	46	129 320	130 500	46
129 875	131 050	44	130 500	131 680	44
131 050	132 225	42	131 680	132 860	42
132 225	133 400	40	132 860	134 040	40
133 400	134 575	38	134 040	135 220	38
134 575	135 750	36	135 220	136 400	36
135 750	136 925	34	136 400	137 580	34
136 925	138 100	32	137 580	138 765	32
138 100	139 275	30	138 765	139 945	30
139 275	140 450	28	139 945	141 125	28
140 450	et plus	26	141 125	ou plus	26

Source TP-1D.C. Annexe C – Tableaux des paramètres

Plus le revenu familial net est élevé, moins le crédit a de la valeur. Pour les familles ayant un revenu plus faible, le crédit d'impôt peut s'avérer plus avantageux que les frais de garde à 7 $ par jour qui n'y sont pas admissibles.

Des améliorations importantes ont été apportées à ce crédit pour les années 2009 et 2010 (elles seront maintenues pour les prochaines années), bonifiant ainsi le remboursement d'impôt disponible pour les familles à moyen revenu lorsque les services de garde sont reçus ailleurs que dans un CPE à 7 $ par jour. Il est possible de recevoir ce crédit par anticipation en effectuant une demande avant le 1er septembre. Une visite au www.budget. finances.gouv.qc.ca/budget/2009-2010/fr/Garde2009_Francais. html vous aidera à évaluer les coûts réels pour votre famille.

Le Paiement de soutien aux enfants (PSE)

Le régime de soutien aux enfants du Québec est administré par la Régie des rentes du Québec. Il s'agit d'un crédit d'impôt remboursable, versé au début de chaque trimestre, soit en janvier, en avril, en juillet et en octobre de chaque année. Il comporte deux volets :
- un régime de base universel ;

- une aide additionnelle pour les familles à faible et à moyen revenu.

Pour obtenir ce montant, il faut correspondre à une définition du terme conjoint de fait, différente de celle qui se trouve dans les lois fiscales. Ainsi, les conjoints de fait sont des personnes qui font vie commune depuis au moins 12 mois ou qui sont toutes les deux les parents biologiques ou adoptifs du même enfant. Une séparation de moins de 90 jours ne compte pas dans le calcul de la période de cohabitation. La Régie des rentes du Québec exige d'être informée le plus rapidement possible de tout changement de la situation conjugale. Ce n'est donc pas la date du 31 décembre qui doit être indiquée pour aviser la Régie de l'arrivée d'un conjoint de fait ou d'une séparation. Les renseignements nécessaires pour faire les changements requis sont disponibles au www.rrq.gouv.qc.ca.

Les deux conjoints doivent obligatoirement faire une déclaration de revenus, mais la PSE est versée à une seule personne. Ce montant varie selon le nombre d'enfants et le revenu familial.

La PSE est bonifiée par un supplément pour enfant handicapé (SEH) si l'enfant présente une déficience ou un trouble de développement et qu'il est reconnu par la Régie des rentes du Québec comme une personne handicapée. Ce montant est le même pour tous, peu importe le revenu familial.

La Régie des rentes du Québec donne accès à un outil de calcul, le «Calcul@ide», sur son site Internet, lequel permet de calculer le montant de la PSE offert: www.rrq.gouv.qc.ca/fr/enfants/naissance/paiement_soutien_enfants/montant.htm.

La condition physique des enfants

Le gouvernement fédéral accorde un crédit d'impôt non remboursable pour favoriser la bonne condition physique de chaque enfant de la famille âgé de moins de 16 ans. Ce crédit est progressif. Il représente 15 % du montant payé pour permettre à l'enfant de participer à un programme d'activité physique. Le montant total admissible au crédit ne peut excéder 500 $ par année.

Le crédit d'impôt pour les frais d'adoption

Il est possible de réclamer un crédit d'impôt du Québec égal à 50 % des sommes engagées pour adopter un enfant. Le maximum admissible est de 20 000 $ par enfant.

Le Régime québécois d'assurance parentale (RQAP)

Les salariés et les travailleurs autonomes ont droit aux prestations du Régime québécois d'assurance parentale (RQAP). Ces prestations sont versées lors d'un congé de maternité ou de paternité, un congé d'adoption ou parental. Il s'agit de prestations de remplacement de revenu. Pour en bénéficier, il faut avoir touché un revenu comme employé ou travailleur autonome et payé des cotisations. Plus de renseignements sont donnés sur le Portail du

Québec sous la rubrique « Services aux citoyens, Répertoire des programmes », www.formulaire.gouv.qc.ca.

Planification fiscale pour jeune famille : REER ou CELI

Une saine planification fiscale doit permettre de maximiser la réduction du revenu net de façon à tirer le maximum des avantages fiscaux offerts. Ainsi, le REER permet de réduire le revenu net de celui qui a cotisé dans l'année alors que le CELI (compte d'épargne libre d'impôt) ne le permet pas. Les jeunes familles peuvent avoir intérêt à cotiser à un REER plutôt qu'à un CELI pour diminuer leur revenu net et recevoir des PFCE, des PUGE ou des PSE plus élevés, de même que les crédits d'impôt de TPS/TVQ. Il n'y a pas de recette toute faite. Avant de choisir le REER plutôt que le CELI, il faut aussi vérifier la valeur de la déduction fiscale que procurera le REER. Si le revenu imposable se situe dans le plus bas palier d'imposition, la valeur de la déduction fiscale du REER sera minime. L'outil d'épargne à privilégier pourrait alors être le CELI. Chaque cas est différent.

Quelques dollars épargnés dans un REER peuvent permettre de réduire un revenu net familial se situant au-delà de la limite supérieure pour recevoir le maximum des programmes sociofiscaux. Il n'est pas nécessaire d'y investir des sommes importantes. Ainsi, la famille bénéficie de plus d'argent provenant des gouvernements tout en épargnant pour d'autres besoins comme la retraite ou l'achat d'une première habitation. Les résultats sont surprenants.

Si les statistiques et les études sur la valeur réelle des programmes sociofiscaux et des crédits d'impôt vous intéressent, reportez-vous encore une fois aux courbes de Claude Laferrière, mises à jour pour 2010, www.cqff.com/claude_laferriere/accueil_courbe_2010.htm.

CHAPITRE 13
Les programmes d'aide aux aînés

Comme pour les familles, les prestations et les bénéfices fiscaux accordés aux aînés sont affectés par le calcul du revenu net individuel ou familial du couple, qu'il s'agisse de personnes mariées, unies civilement ou de conjoints de fait.

Les programmes gouvernementaux d'aide aux aînés s'adressent, pour la plupart, aux personnes âgées de 65 ans et plus et à leurs conjoints. Au moment de la retraite, les revenus disponibles provenant des régimes gouvernementaux sont la Pension de la sécurité de la vieillesse (PSV), la Prestation du régime de pension du Canada (RPC) ou, pour les résidants du Québec, le Régime de rentes du Québec (RRQ). Les autres revenus proviendront de régimes privés d'employeurs et de l'épargne accumulée pendant la vie active.

Les revenus provenant des régimes enregistrés sont, pour leur part, pleinement imposables. Les cotisations effectuées à ces régimes ont été déduites du revenu imposable au moment où elles ont été faites. C'est ce que l'on appelle «des impôts différés». Les régimes enregistrés disponibles au Canada et desquels sont tirés des revenus de retraite proviennent d'un régime de pension agréé d'un employeur (RPA), d'un fonds enregistré de revenu de retraite (FERR), d'un régime enregistré d'épargne-retraite (REER) ou d'un régime de participation différée aux bénéfices (RPDB).

Enfin, une partie des revenus de retraite peut provenir d'un capital accumulé, pour lequel un contrat de rente viagère ou à terme fixe[16] a été souscrit auprès d'un assureur de personnes, de placements privés effectués auprès d'un courtier en valeurs

---

16. Une rente viagère procure un revenu stable et garanti durant toute la vie du rentier. Elle se termine à son décès, sauf si un rentier successeur est désigné. La rente viagère peut aussi comporter une période de garantie de 1, 5 ou 10 ans, voire plus. Cela signifie qu'en cas de décès du rentier, la rente continuera à être versée à ses héritiers jusqu'à la fin de la période de garantie choisie. Une rente à terme fixe est souscrite pour une période déterminée, soit 5, 10, 20 ans ou plus. Elle se termine lorsque cette période est échue.

mobilières ou d'un CELI. L'impôt à payer est alors beaucoup plus faible ou inexistant, puisque le revenu imposable provient du capital qui a déjà été imposé.

La Pension de la sécurité de la vieillesse (PSV)

La PSV est une prestation mensuelle maximum de 516,96 $, pour les deux premiers trimestres, de 518,51 $ pour le troisième trimestre et de 521,62 $ pour les trois derniers mois, soit un total de 6 222,15 $ pour l'année 2010. Le montant versé à partir du mois de juillet est automatiquement ajusté en fonction **du revenu net de l'individu et non de celui du couple.** Il est nécessaire de rembourser les montants de PSV payés en trop lorsque les revenus de la personne qui la reçoit excèdent un seuil donné. Ce seuil, calculé en fonction du revenu individuel net de 2009, est de 66 335 $ pour le calcul de la prestation qui sera versée de juillet 2010 à juin 2011, et à 66 733 $ pour celle de juillet 2011 à juin 2012. Le montant de la PSV payable de juillet 2010 à juin 2011 est réduit de 15 % sur le revenu qui excède le seuil de 66 335 $ et la prestation est nulle lorsque le revenu atteint 108 090 $.

Les personnes qui peuvent recevoir la PSV doivent avoir 65 ans et plus et résider au Canada. Certains non-résidents sont aussi admissibles. Il ne s'agit pas d'un versement automatique. La demande doit être faite six mois avant le 65e anniversaire de naissance. Plus de détails sur l'admissibilité et la façon d'effectuer la demande sont disponibles sur le site Internet de Service Canada à l'adresse www.servicecanada.gc.ca/fra/sc/sv/pension/securitedelavieillesse.shtml.

La PSV étant imposable, le montant indiqué sur le feuillet T4A (OAS) doit donc être inclus dans le revenu.

Le Supplément de revenu garanti (SRG)

Le SRG est une prestation mensuelle non imposable destinée aux bénéficiaires de la PSV à faible revenu. Pour un couple, la prestation de 2010 s'élève à 430,90 $ par mois si les deux conjoints sont prestataires de la PSV. Le montant maximum annuel des gains permettant l'accès à la PSV était de 20 688 $, en 2009. Le montant du SRG doit être inclus dans le calcul du revenu net, mais comme il n'est pas imposable, il sera déduit du revenu imposable. Il ne s'agit pas non plus d'une prestation automatique, une demande doit être présentée pour l'obtenir. Certaines prestations supplémentaires sont offertes si le conjoint est âgé de 60 à 64 ans et qu'il participe au programme d'allocation pour les aînés à faible revenu. Pour plus de détails : www.servicecanada.gc.ca/fra/psr/pub/sv/srgprincipale.shtml#C et www.servicecanada.gc.ca/fra/sc/sv/allocation/allocation.shtml.

Le Régime des rentes du Québec (RRQ)

Il s'agit d'une rente de retraite provenant d'un régime public qui peut être versée à partir de l'âge de 60 ans si la demande en est faite. L'âge de la retraite étant de 65 ans, la rente payable sera réduite de façon permanente si la demande est faite à 60 ans. Il est à noter que ce régime n'existe que pour les travailleurs et leur conjoint, incluant les conjoints de fait qui se qualifient, qui ont versé des cotisations au RRQ durant leur vie active.

La rente maximale mensuelle pour 2009 était de 908,75 $ si elle a été demandée à 65 ans, et de 636,13 $, si elle a été perçue à partir de 60 ans.

En plus de la retraite conventionnelle à 65 ans, le régime québécois prévoit trois façons de prendre sa retraite :
- **la retraite progressive**, pour les travailleurs de 55 à 69 ans qui veulent réduire le temps passé au travail. Il n'est pas possible de demander une rente de retraite avant l'âge de 60 ans. Par contre, les heures de travail peuvent être réduites dès l'âge de 55 ans si une entente à cette fin est conclue avec l'employeur. Les cotisations au Régime des rentes du Québec pourront continuer comme si le salaire n'avait pas diminué et sans que le montant de la rente payable au moment de la retraite soit affecté.

- **La retraite anticipée**, pour les travailleurs de 60 à 65 ans dont les cotisations sont suffisantes et qui veulent continuer à travailler, tout en recevant une rente du RRQ si certaines conditions sont remplies.

- **Le supplément à la rente de retraite** existe pour les travailleurs de 60 ans et plus qui ont pris leur retraite, mais qui veulent continuer à travailler. Ils devront cotiser au RRQ dès que leur revenu de travail dépassera l'exemption de base de 3 500 $. Ces cotisations supplémentaires donnent automatiquement droit à un supplément de la rente, lequel sera versé dès le 1er janvier de l'année suivant celle où les cotisations supplémentaires ont été payées.

Définition du terme conjoint de fait *aux fins du Régime des rentes du Québec*

Se qualifier à titre de *conjoint de fait* aux fins du Régime des rentes du Québec comporte des avantages. À noter que la définition du terme *conjoint de fait* n'est pas la même que celle qu'on retrouve dans les lois fiscales.

Pour être conjoint de fait selon la Régie des rentes du Québec, il faut avoir **vécu maritalement** avec la personne **depuis au moins trois ans** ou **depuis un an** si un enfant est né ou à naître ou s'il a été adopté. De plus, contrairement aux lois fiscales, la loi n'autorise pas la bigamie. Ainsi, même si les conditions de cohabitation sont remplies, il ne doit pas subsister d'époux ou de conjoint uni civilement d'une union antérieure. Il doit donc y avoir eu une rupture en bonne et due forme avec tout ancien époux ou conjoint, consacrée par un divorce, un jugement ou une déclaration notariée de dissolution de l'union civile.

Fractionnement de revenu

Une fois ces conditions remplies pour les conjoints de fait, la rente peut être séparée de façon à réduire le revenu et, du même coup, récupérer certains programmes sociaux et réduire l'impôt du conjoint ayant les revenus les plus élevés. Bien entendu, toutes les conditions requises pour partager ces rentes doivent être réunies.

Il est possible de s'informer auprès de la Régie, qui fournit aussi l'outil de calcul *SimulRetraite* pour évaluer ces questions : www. rrq.gouv.qc.ca/fr/retraite/retraite_a_deux/impact_fiscal/Pages/ attenuer_impact_fiscal.aspx.

Les prestations de la Régie des rentes du Québec au décès d'un conjoint

Le fait de se qualifier comme conjoint de fait, au sens de la *Loi sur le Régime des rentes du Québec*, permet aussi de recevoir les sommes suivantes :

- la prestation de décès, constituée d'un paiement unique de 2 500 $ imposable, payable si le défunt a cotisé pour le tiers de la période suivant son 18e anniversaire et au minimum trois ans ou pendant dix ans. Cette prestation est versée en priorité à la personne qui a payé les frais funéraires dans les 60 jours suivant le décès et, par la suite, aux héritiers[17] ;

- la rente de conjoint survivant assure un revenu de base au conjoint, incluant le conjoint de fait d'une personne décédée qui a cotisé au régime et qui se qualifie. La rente est **payée en priorité à l'époux ou au conjoint uni civilement survivant** si le défunt vivait maritalement avec un conjoint de fait, mais qu'il n'était pas séparé légalement ou divorcé. Dans le cas où le défunt était séparé légalement et qu'il avait un conjoint qui ne se qualifiait pas comme conjoint de fait, la rente de conjoint survivant sera payée au conjoint avec lequel le défunt était séparé légalement. Pour obtenir de plus amples renseignements, consultez le www.rrq.gouv.qc.ca/ fr/programmes/regime_rentes/prestations_survivants/Pages/ prestations_deces.aspx.

---

17. Cette prestation est habituellement imposable dans le revenu de la succession du défunt. Toutefois, si elle est payée directement à un héritier qui a acquitté les frais funéraires, elle pourra être imposée à cet héritier personnellement. Il est donc préférable d'éviter de payer directement et de s'assurer que les frais funéraires sont payés par le liquidateur de la succession, en sa qualité de liquidateur, et non personnellement.

Les crédits d'impôt accordés aux aînés

Outre les crédits d'impôt accessibles à tous, comme ceux qui s'appliquent à la TPS et à la TVQ ou aux frais médicaux, plusieurs crédits d'impôt remboursables ou non remboursables sont offerts uniquement aux aînés.

Le crédit d'impôt en raison de l'âge au fédéral

L'âge requis pour avoir droit à ce crédit est de 65 ans. En 2010, ce crédit représentait une valeur maximale de 966,90 $ soit (15 % x 6 446 $). Il est réduit lorsque le revenu net de l'individu atteint 32 506 $. Il est nul lorsque le revenu atteint 75 032 $. Il s'agit d'un crédit non remboursable, mais tout solde inutilisé peut être transféré au conjoint, même un conjoint de fait.

Le crédit d'impôt pour revenu de pension

Pour demander ce crédit, il faut avoir au moins 65 ans et recevoir des revenus de pension ou de rente. Ce crédit est de 2 000 $. Il peut aussi être demandé par un conjoint de fait survivant âgé de moins de 65 ans qui reçoit ces revenus, en raison du décès de son conjoint.

Les principaux revenus qui se qualifient pour ce crédit sont :
- les revenus provenant d'un REER ou d'un FERR ;
- les revenus provenant d'un régime de pension agréé (RPA) ou d'un régime de participation différée aux bénéfices (RPDB);
- la partie imposable des rentes prescrites des assureurs.

Ils sont rapportés sur le feuillet fiscal T4A.

La prudence s'impose, car plusieurs prestations exclusives aux aînés ne sont pas admissibles à ce crédit. Ce sont, entre autres, les revenus de la PSV et du SRG, les rentes du RRQ et du RPC, les revenus provenant de l'étranger, comme les pensions des États-Unis. Pour savoir si vous êtes admissible à ce crédit, l'Agence du revenu du Canada offre un outil intéressant sous forme de questionnaires. Pour y accéder, rendez-vous sur le site Internet de l'ARC au www.cra-arc.gc.ca/tx/ndvdls/tpcs/ncm-tx/rtrn/cmpltng/ ddctns/lns300-350/314/menu-fra.html.

Le crédit d'impôt accordé en raison de l'âge ou pour revenu de retraite du Québec
Il s'agit d'un crédit d'impôt non remboursable, qui peut être réduit en raison du revenu familial net et non en fonction de celui de l'individu, comme au fédéral. De plus, ce crédit n'est offert qu'à la fin de l'année aux personnes ayant 65 ans et plus. Ce crédit est de 2 260 $. Le montant de ce crédit commence à diminuer lorsque le revenu familial excède 30 490 $.

Pour avoir droit au crédit pour revenu de retraite, il faut avoir encaissé des revenus de la même nature que ceux qui sont établis par le gouvernement fédéral. Comme au fédéral, les revenus de la PSV, du SRG, du RRQ et du RPC ne sont pas admissibles. Depuis 2009, ce crédit est de 2 000 $ et il a été indexé au coût de la vie en 2010. Il subit lui aussi une réduction si le revenu familial s'élève à plus de 30 490 $.

Les crédits pour maintien des aînés dans leur milieu
Plusieurs crédits sont accordés pour assurer le maintien à domicile des personnes âgées en perte d'autonomie.

Le montant pour aidant naturel
Le montant maximal qui peut être demandé au gouvernement fédéral est de 4 223 $ pour chaque personne à charge qui présente une déficience physique ou mentale et qui habite la même résidence que le contribuable qui réclame le crédit. Il peut s'agir d'un enfant ou d'un petit-enfant, d'un parent, d'un grand-parent, d'un frère, d'une sœur, d'un oncle, d'une tante, d'un neveu ou d'une nièce de plus de 18 ans et dont le revenu ne dépasse pas 14 422 $. S'il s'agit d'un parent ou d'un grand-parent, le montant pour aidant naturel peut être réclamé, même si la personne à charge ne souffre pas d'une déficience physique ou mentale. Cette personne doit toutefois être âgée de 65 ans et plus.

En 2010, au Québec, le crédit d'impôt remboursable pour aidant naturel peut atteindre 1 062 $, pour chaque proche hébergé admissible qui doit être âgé de 70 ans et plus.

Les crédits propres au Québec

En plus du crédit pour aidant naturel, le Québec a mis en place un système de mesures important pour favoriser le maintien à domicile des aînés.

Le crédit d'impôt remboursable pour maintien à domicile d'une personne âgée

Les personnes de 70 ans et plus ont droit à un crédit d'impôt remboursable pour les dépenses relatives aux services de soutien pour le maintien à domicile. Le crédit est égal à 30 % des dépenses engagées, jusqu'à concurrence de 15 600 $ pour une personne autonome, et de 21 600 $ pour une personne non autonome. Le crédit maximal est donc de 6 480 $ et une réduction de 3 % est appliquée à toute portion du revenu familial qui excède 51 425 $. Un seul des conjoints peut demander ce crédit.

Les services admissibles à ce crédit peuvent varier selon les circonstances propres à chacun, le genre de résidence habitée et si les services sont rendus occasionnellement. Pour plus de détails, il est utile de consulter la brochure *Les aînés et la fiscalité* qui se trouve sur le site Internet de Revenu Québec au www. revenu.gouv.qc.ca.

De façon générale, toutes les conditions relatives à l'accès à ces crédits, par ailleurs assez complexes, sont décrites dans les guides provincial et fédéral de déclaration de revenus, qu'on peut consulter aux adresses suivantes : www.revenu.gouv.qc.ca/documents/fr/formulaires/tp/TP-1.G(2009-12).pdf pour le guide du Québec, et www.cra-arc.gc.ca/F/pub/tg/5000-g/LISEZ-MOI.html pour le fédéral.

Le fractionnement de revenu entre conjoints de 65 ans et plus
Enfin, la dernière politique importante, en ce qui concerne le système fiscal applicable aux aînés, consiste en la possibilité de fractionner le revenu de pension entre les conjoints, incluant les conjoints de fait qui se qualifient, selon la définition des lois fiscales.

Ces mesures sont offertes par les gouvernements fédéral et du Québec. Les conjoints peuvent décider ensemble de transférer une partie n'excédant pas 50 % des revenus de retraite admissibles, perçus dans une année, à l'autre conjoint. Le conjoint qui transfère ses revenus doit avoir plus de 65 ans. Cette règle comprend deux exceptions où un conjoint de moins de 65 ans peut effectuer le transfert :

- les sommes sont des paiements de rente viagère provenant d'un régime de retraite ;

- il s'agit de prestations provenant d'un REER, d'un RPDB ou d'un FERR, reçues à la suite du décès du conjoint.

La PSV, les rentes du RRQ et du RPC ne sont pas admissibles au fractionnement du revenu. Au fédéral, le choix doit être fait au moyen d'un formulaire précis, le *Choix conjoint visant le fractionnement du revenu de pension* (T1032), présenté au plus tard à la date limite pour produire la déclaration de revenus du particulier, soit le 30 avril ou le 15 juin pour les travailleurs indépendants. Ce choix doit être reconduit chaque année.

Cette mesure remonte à l'année 2007. Il s'agissait alors d'une innovation importante dans notre régime fiscal, car exception faite des REER de conjoint, le transfert de biens et de revenus entre conjoints n'était pas permis.

Planification fiscale
Les personnes âgées de 65 ans mais de moins de 71 ans peuvent cotiser à un REER si elles ont un espace de cotisation disponible. Ces cotisations peuvent permettre de diminuer le revenu net et de conserver intacts les montants de soutien aux aînés comme la PSV, le SRG et certains crédits d'impôt. Cette décision peut avoir

des conséquences indésirables à 72 ans, lorsqu'il sera devenu obligatoire de commencer à retirer des rentes provenant des fonds enregistrés qui sont pleinement imposables.

Il est important de bien planifier son épargne. Il peut être plus intéressant de cotiser dans le REER du conjoint dont le revenu de retraite sera le moins élevé ou encore dans le REER du plus jeune pour repousser la date des retraits obligatoires.

Les personnes âgées peuvent avoir intérêt à cotiser à un CELI. Bien qu'une déduction du revenu imposable ne soit pas possible, les revenus générés par l'épargne et les retraits ne sont pas imposables. Ils n'ont donc pas d'impact sur les prestations sociales et les crédits d'impôt. Encore une fois, chaque cas est différent. Il n'y a pas de recette.

CHAPITRE 14

Les programmes d'aide aux études

Être conjoint de fait comporte certains avantages relativement à ces programmes. L'étudiant a l'obligation de réclamer les montants admissibles en premier en remplissant sa déclaration de revenus. Si ses revenus sont insuffisants, il lui est possible de transférer à son conjoint de fait la totalité ou le solde des montants inutilisés

pour les frais de scolarité, le montant relatif aux études et le montant pour manuels. Le montant maximum transférable au conjoint est de 5 000 $.

Au Québec, il n'est pas possible de transférer directement à son conjoint les frais de scolarité ou d'examen payés par l'étudiant. Le solde des crédits d'impôt non utilisés est toutefois transférable au conjoint.

Le Régime d'encouragement à l'éducation permanente (REEP)

Ce programme permet de retirer des fonds d'un REER pour financer la formation ou les études à temps plein d'un individu ou celles de son conjoint. Les études doivent se conformer aux conditions prescrites par la loi. Ce retrait peut égaler un total de 20 000 $, mais le montant qui peut être retiré chaque année ne peut excéder 10 000 $. La période pendant laquelle les retraits sont effectués ne peut dépasser quatre ans après le premier retrait. Les sommes retirées doivent être remboursées sur une période de 10 ans. Le montant des remboursements annuels non effectués doit être inclus dans le revenu du propriétaire du REER.

Pour plus de détails, l'Agence du Revenu du Canada (ARC) publie le *Guide RC4112, Régime d'encouragement à l'éducation permanente (REEP)* qui se trouve au www.cra-arc.gc.ca/tx/ndvdls/tpcs/rrsp-reer/llp-reep/menu-fra.html.

Il existe d'autres programmes de soutien aux études, comme les régimes enregistrés d'épargne-études (REEE) ou la Subvention canadienne pour l'épargne-études (SCEE). Nous référons le lecteur au guide portant sur ces questions au www.cra-arc.gc.ca/formspubs/clntgrp/ndvdls/stdnts-fra.html.

CHAPITRE 15
Les programmes d'aide à l'accession à la propriété

La plupart de ces programmes sont nés de la crise financière de 2008-2009, alors que d'autres existent depuis longtemps. Les secousses économiques récentes ont donné un élan à leur bonification.

Le crédit d'impôt pour l'achat d'une première maison (CIAPH)

Ce crédit, instauré en 2009, est destiné aux particuliers qui ont fait l'achat d'une habitation admissible après le 27 janvier 2009. Le montant de ce crédit s'élevait à 750 $ (puisque le gouvernement accorde 15 % du montant maximum établi à 5 000 $)  pour la première année. Pour être admissibles, les conjoints ne peuvent, pendant les quatre années précédant l'achat de la nouvelle résidence, avoir été propriétaires d'une autre habitation où ils auraient résidé. Le crédit peut être demandé par l'un ou l'autre des conjoints ou partagé, peu importe qui est l'acheteur au moment de remplir la déclaration de revenus. Le montant maximum demandé ne peut excéder 750 $. Ce crédit n'affecte pas la participation au Régime d'accession à la propriété (RAP).

Pour plus de détails : www.cra-arc.gc.ca/gncy/bdgt/2009/fqhbtc-fra. html#q1.

Le Régime d'accession à la propriété (RAP)

Depuis le 27 janvier 2009, ce programme permet de retirer des REER, jusqu'à concurrence de 25 000 $, pour acheter ou construire une habitation admissible. Avant cette date, le montant permis était de 20 000 $. Seule la personne à qui le REER appartient peut participer à ce programme. Par contre, dans le cas des conjoints, chacun des deux peut retirer 25 000 $ de son REER s'ils satisfont aux conditions d'admissibilité.

Pour pouvoir faire le retrait, il faut être considéré comme acheteur d'une première maison. L'un ou l'autre des conjoints ne peut avoir été propriétaire de sa résidence depuis au moins quatre années complètes, commençant le 1er janvier de l'année marquant le début d'une période de quatre ans précédant l'achat de la résidence. Cela signifie donc que l'on doit reculer de quatre années complètes, plus les mois écoulés dans la cinquième année, avant de pouvoir à nouveau se prévaloir du RAP.

Par exemple, Michel était propriétaire d'un condo qu'il a vendu à perte dans les mois qui ont suivi son déménagement dans l'appartement de Lina, qui avait toujours été locataire. Deux ans plus tard, au moment de l'achat de leur résidence, Michel ne s'est pas qualifié comme acheteur d'une première maison, le délai de quatre ans précédant l'achat de leur habitation n'étant pas terminé. Puisqu'elle n'avait jamais été propriétaire, Lina a ainsi pu retirer 20 000 $ de son REER pour acheter la maison.

Aucune de ces conditions ne s'applique si l'habitation est destinée à une personne handicapée. Les retraits du REER devront être remboursés sur une période de 15 ans, commençant la deuxième année suivant l'année des retraits. Les remboursements se font en cotisant à un REER une somme au moins égale au montant indiqué sur l'avis de cotisation de l'année précédente, expédié par l'Agence du revenu du Canada (ARC).

Les montants qui auraient dû être remboursés au cours d'une année donnée et qui ne l'ont pas été doivent être inclus dans le revenu imposable de cette année. Pour plus de détails, l'ARC publie le *Guide RC4135, Régime d'accession à la propriété (RAP)*: www.cra-arc.gc.ca/F/pub/tg/rc4135/LISEZ-MOI.html.

CHAPITRE 16
Les transactions financières entre conjoints de fait

Du point de vue de la fiscalité, être conjoints de fait comporte à la fois des avantages et des irritants. Parmi les avantages, la capacité de se transférer mutuellement des biens sans impact fiscal immédiat du vivant ou au décès d'un des conjoints est certainement un atout. Cette particularité permet de continuer à différer l'impôt sur le gain en capital accumulé sur les « biens en immobilisation » comme un chalet, une œuvre d'art, des actions de sociétés privées ou encore des placements en Bourse. Pour empêcher les contribuables d'abuser de ces dispositions et diminuer indûment les impôts payables par le couple, les règles d'attribution s'appliquent au revenu généré par ces biens, sauf si le transfert résulte du décès de l'un des conjoints.

Les règles d'attribution

Les conjoints sont soumis aux règles d'attribution. Ce sont des règles qui empêchent les conjoints de se transférer entre eux les biens à une valeur moindre que celle du marché afin d'éviter le fractionnement de revenu entre conjoints durant la vie commune. Il faut donc être prudent quand on veut faire un don à son époux ou conjoint uni civilement tout comme à son conjoint de fait. Il en est de même lorsque les époux se consentent mutuellement des prêts sans intérêt ou à faible taux d'intérêt. Ces règles cessent de s'appliquer lorsque des biens sont transférés en raison d'une rupture du couple ou du décès de l'un des conjoints.

Le fractionnement de revenu survient quand le conjoint qui est soumis au plus haut taux d'imposition transfère à l'autre un bien qui produit des revenus imposables de façon à profiter du plus bas taux d'imposition du conjoint à plus faible revenu et, ainsi, diminuer les impôts à payer par le couple. Les revenus produits par le bien transféré seront réattribués au conjoint qui a procédé au transfert. Il devra donc inclure ces montants dans son revenu imposable de l'année et non dans celui de son conjoint. Ils continueront à augmenter son revenu imposable et à être imposés comme s'il avait lui-même touché les revenus en question.

Le transfert de biens entre conjoints du vivant se fait au coût. Cela signifie donc qu'aucun impôt n'est payable par le conjoint qui était le propriétaire du bien au moment de ce transfert. L'impôt sur le gain en capital ne deviendra dû et payable qu'au moment où il y aura vente ou don à un tiers.

Par exemple, Michel transfère au nom de Lina ses certificats de dépôt garantis (CPG) qui produisent des intérêts de 1 250 $ par année. Ce revenu d'intérêts gagné sera attribué à Michel, année après année, et il devra payer l'impôt sans toucher un cent provenant des revenus d'intérêts. Toutefois, si Lina prend les 1 250 $ en intérêts et les utilise pour faire un placement qui lui-même génère un revenu annuel de 100 $, ce revenu de deuxième génération lui sera imposé à elle.

Transfert des CPG en pleine propriété à Lina		
	Michel	Lina
Revenus d'intérêts réattribués	1 250	
Revenus d'intérêts gagnés		100
IMPÔT PAYABLE		
Taux marginal de 45,7 %	571,25	
Taux marginal de 32,5 %		32,5
Revenu net	678,75	67,5

Ces stratégies ont aussi des conséquences légales. Lina est maintenant propriétaire des CPG. Elle a donc la liberté d'en faire ce qu'elle veut. Mais est-ce vraiment l'objectif du couple ?

Pour éviter ces problèmes, Michel, au lieu de transférer les CPG au nom de Lina, pourrait les encaisser et lui prêter l'argent à un taux d'intérêt du marché, prescrit par l'Agence du revenu du Canada (ARC) lors de chaque trimestre. Cette stratégie est particulièrement avantageuse maintenant, les taux d'intérêt prescrits étant très bas[18]. Lina devra toutefois payer les intérêts dus sur l'emprunt au 31 janvier de l'année suivant celle pour laquelle ils sont dus. De plus, comme elle a utilisé cet argent pour faire un placement qui produit un revenu de bien, elle pourra déduire l'intérêt payé de celui qu'elle gagnera. L'impôt à payer sera calculé en fonction du solde.

Prêt à Lina portant intérêt à 1 % par an		
	Michel	Lina
Revenus d'intérêts réattribués	0	
Revenus d'intérêts gagnés (25 000 x 1 %)	250	
Revenus d'intérêts gagnés (25 000 x 5 %)		1 250
Intérêts payés sur emprunt		-250
Revenu imposable	250	1 000
IMPÔT PAYABLE		
Taux marginal 45,7 %	114,25	
Taux marginal 34,1 %*		341
Revenu net	135,75	659

*Le revenu imposable de Lina est très rapproché du palier supérieur d'imposition. Le changement de palier d'imposition peut avoir un effet important sur la situation

18. Le taux d'intérêt prescrit est de 1 % pour les quatre trimestres de 2009 et les quatre trimestres de 2010. Le taux d'intérêt qui prévaut sur le prêt est celui qui est en vigueur au moment où le prêt est consenti. Ces planifications exigent de consulter des conseillers juridiques et fiscaux aguerris.

fiscale des gens ayant un revenu modeste. Il faut donc bien évaluer les scénarios possibles pour éviter que la transaction coûte plus cher que le bénéfice qu'elle rapporte.

Cette stratégie a aussi l'avantage de régler les problèmes légaux de propriété de l'argent. Michel conserve son actif, il consent un prêt avec intérêts. Il faut toutefois bien documenter ces transactions.

Il en est de même de l'immeuble que Michel a vendu. Imaginons qu'au lieu de le vendre à un tiers, il le donne tout simplement à Lina alors que l'immeuble acquis pour 100 000 $ vaut 150 000 $. Dans l'hypothèse où Lina le vend 175 000 $ quelques années plus tard, même si, au moment du don par Michel l'immeuble valait 150 000 $, Michel devra inclure, dans son revenu imposable de l'année de la vente, le montant total du gain réalisé par Lina, soit 50 % de 75 000 $ (175 000 $ - 100 000 $[19]). Le résultat final est le suivant :

- Lina conserve la totalité des 75 000 $ de gains en capital qu'elle a réalisés, sans aucun impact fiscal pour elle-même ;

- Michel paie l'impôt sur 50 % de 75 000 $ à son taux marginal d'environ 46 %, soit 17 250 $ et ne touche pas un sou.

Pour éviter cette situation, Lina aurait pu acquérir l'immeuble à sa valeur marchande, soit 150 000 $, avec son propre argent. Michel aurait alors été imposé sur le gain en capital réalisé, soit 50 000 $, tel qu'illustré précédemment. Au moment de la revente par Lina, celle-ci aurait réalisé son propre gain en capital de 25 000 $. Elle aurait alors été imposée sur 12 500 $, ce qui aurait eu pour effet d'augmenter sensiblement son revenu et, conséquemment, son taux d'imposition, et aurait réduit la valeur de ses crédits personnels.

---

19. Le coût du bien pour Lina reste le même que celui de Michel étant donné qu'il n'y a pas eu de transaction à la valeur du marché au moment du transfert.

Les pertes apparentes

Il existe plusieurs règles qui visent à empêcher les conjoints de faire entre eux des transactions qui seraient désavantageuses pour l'impôt. Ainsi, les *Règles sur les pertes apparentes* sont souvent invoquées. Ces dernières empêchent un conjoint d'acquérir des biens dont son conjoint a disposé à perte dans les 30 jours suivant la transaction. Si cette situation se produit, la perte du conjoint sera refusée par l'impôt.

Tous les contribuables ont le droit d'organiser leurs affaires de façon à limiter leur charge fiscale. Les transferts entre conjoints peuvent sembler alléchants pour réduire les impôts du conjoint le plus fortuné, mais ils peuvent coûter très cher au conjoint à faible revenu qui voit ainsi son revenu augmenter parfois considérablement. Cette augmentation peut entraîner, par ailleurs, la perte de nombreux avantages fiscaux qui ne sont pas calculés dans le revenu familial.

La planification financière – les outils fiscaux pour épargner

Au fil du temps, les gouvernements ont voulu encourager l'épargne des contribuables. Les lois fiscales contiennent donc des allègements fiscaux intéressants pour ceux qui veulent économiser. Ces outils sont financés avec des produits distribués par les banques à charte, les caisses d'épargne et de crédit, les sociétés de fiducie, les compagnies d'assurances, les maisons de courtage en valeurs mobilières, les sociétés ou fiducies de fonds commus de placement et par des produits comme les obligations d'épargne, émises par les divers gouvernements, ou par le biais d'entités, comme Placements Québec.

Le compte d'épargne libre d'impôt (CELI)

Dernier produit à avoir fait son apparition dans la famille des outils fiscalement avantageux pour épargner, le CELI est offert depuis janvier 2009 aux épargnants canadiens. Son côté innovateur et la souplesse qu'il permet en font un outil véritablement révolutionnaire.

Les résidants canadiens âgés de 18 ans et plus peuvent déposer dans un CELI un maximum de 5 000 $ par année. Le montant des cotisations sera éventuellement indexé au coût de la vie par tranche de 500 $. Les droits de cotisation inutilisés s'accumulent et continuent à être disponibles indéfiniment. Quels que soient le revenu gagné et la classe sociale, que le cotisant soit chômeur, travailleur ou retraité, il peut toujours déposer, annuellement, un montant de 5 000 $. Les cotisations ne sont pas déductibles d'impôt, mais les revenus gagnés, quelle que soit leur nature, dividendes ou gains en capital, ne sont pas imposables. Évidemment, les pertes ne sont pas déductibles non plus.

Les retraits du CELI, qu'il s'agisse d'une partie du capital investi ou de la croissance, soit les revenus générés par les placements, peuvent être effectués sans pénalité fiscale. Il n'y a pas de limite au montant qui peut être retiré, de période minimale pendant laquelle les cotisations doivent demeurer dans le CELI[20] ni de conditions ou de limites sur l'utilisation des retraits, que ce soit pour l'achat d'une automobile ou d'une résidence, pour faire un voyage ou pour payer les rénovations ou les cadeaux des fêtes. Le montant des retraits n'augmente pas le revenu net et le revenu imposable pour l'année. Les crédits d'impôt et les programmes sociofiscaux ne sont donc pas touchés.

Un CELI n'est pas un compte bancaire et il convient d'être prudent lorsque des retraits sont effectués. Les retraits du CELI ne peuvent être remboursés qu'à concurrence des droits de cotisations, c'est-à-dire du capital investi. Les revenus gagnés dans le CELI à l'abri de l'impôt ne s'ajoutent pas aux droits de cotisation disponibles pour l'avenir et ne peuvent donc être remboursés. La procédure de suivi des retraits adoptée par les institutions financières est aussi importante. Le retrait d'un CELI doit être clairement identifié comme tel pour éviter qu'un remboursement ultérieur ne soit considéré comme une cotisation excédentaire susceptible d'une pénalité de 1 % par mois sur chaque dollar cotisé en trop. Il n'est pas possible de déposer plus de 5 000 $ par année dans un CELI, à moins d'avoir accumulé des droits de cotisations inutilisés.

Toutefois, au chapitre des bonnes nouvelles, les règles d'attribution entre conjoints dont il a été question auparavant ne s'appliquent pas au CELI. En fait, au lieu de donner 25 000 $ d'un coup à Lina, Michel pourrait cotiser 5 000 $ par année dans le CELI de Lina sans augmenter ses impôts ni ceux de sa conjointe.

---

20. Il est possible que le produit financier utilisé pour financer le CELI comporte une période de temps où le placement doit être maintenu sous peine de pénalités. Par exemple, un certificat de dépôt garanti avec une période de garantie de 5 ans ou encore des fonds communs de placement avec des périodes minimum pour éviter les frais d'entrée ou de sortie. Ces restrictions dépendent du produit d'investissement et non du CELI comme tel.

Attention, il s'agit d'une question qui devrait être considérée dans le contrat de vie commune des conjoints de fait. Au moment d'une rupture, aucun partage n'est prévu par la loi.

L'Agence du revenu du Québec fournit plus de détails sur le CELI à l'adresse www.cra-arc.gc.ca/tx/ndvdls/tpcs/tfsa-celi/menu-fra.html.

Le Régime enregistré d'épargne-études (REEE)

Le REEE permet à un individu de verser des cotisations à une fiducie pour financer le coût d'études postsecondaires. Il s'agit d'un contrat dont la durée maximale est de 35 ans. Le souscripteur du régime peut être le père, la mère, le grand-père, la grand-mère, les époux ou conjoints de fait. Le souscripteur du régime nomme un ou plusieurs bénéficiaires résidant au Canada au moment de la désignation. Si le régime est familial, chaque bénéficiaire doit être uni, par les liens du sang ou par adoption, à chacun des souscripteurs vivants, ou avoir été lié de la même manière au souscripteur initial. Le montant maximum des cotisations est de 50 000 $ à vie par bénéficiaire pendant la période où il se qualifie. Il n'y a pas de limite annuelle au montant cotisé. Ces cotisations ne sont pas déductibles d'impôt. Par contre, les revenus générés s'accroissent à l'abri de l'impôt, tout comme ceux d'un REER.

En plus de l'accumulation de l'épargne à l'abri de l'impôt, le REEE donne droit à deux programmes d'encouragement à l'épargne-études : la subvention canadienne pour l'épargne-études (SCEE) et le bon d'études canadien (BEC).

Le montant de la SCEE peut atteindre 500 $ par enfant, soit 20 % des premiers 2 500 $ cotisés annuellement pour chaque bénéficiaire, permettant à chaque enfant d'avoir droit à un plafond cumulatif de 7 200 $ à vie. Si, pendant quelques années, les cotisations n'ont pas été faites, il est possible de recevoir une SCEE de 1 000 $ sur une cotisation maximale de 5 000 $, effectuée au cours d'une année.

Le BEC est offert uniquement aux familles à faible revenu qui reçoivent la Prestation fiscale canadienne pour enfants (PFCE). Le montant additionnel est de 100 $ par enfant né après le 3 décembre 2003, jusqu'à ce qu'il atteigne 15 ans. Le BEC peut donc atteindre un maximum de 2 000 $.

Le REEE permet de faire des paiements d'aide aux études (PAE) aux bénéficiaires admissibles qui poursuivent un programme d'études postsecondaires à temps complet ou à temps partiel. Les revenus accumulés dans le régime, y compris la SCEE et le BEC, sont distribués par le biais des PAE. L'année où ils sont versés, ces montants sont imposables pour l'étudiant bénéficiaire, mais ils n'affectent pas le revenu du souscripteur.

Une personne qui a cotisé à un REEE depuis au moins 10 ans, dont tous les bénéficiaires, qui sont âgés de 21 ans et plus, ne poursuivent pas de programmes d'études admissibles, peut retirer les revenus gagnés par le régime. Elle peut en effet transférer ces sommes, jusqu'à concurrence de 50 000 $, libres d'impôt, dans son REER ou celui de son conjoint, s'il possède des droits suffisants de cotisation inutilisés au REER. Sinon, le capital pourra être retiré libre d'impôt, tandis que les revenus seront imposés. Des impôts additionnels de 12 et de 8 % seront appliqués respectivement par les gouvernements fédéral et provincial.

L'aide financière du Québec (AFQ) donne droit à un montant maximum de 3 600 $ à vie par enfant pour les cotisations faites à un REEE. Cette aide correspond à 10 % des cotisations annuelles versées au régime. Les familles à faible et moyen revenu ont droit, par ailleurs, à une aide bonifiée.

Pour plus de détails, vous pouvez consulter le guide disponible sur le site de l'ARC à l'adresse www.cra-arc.gc.ca/F/pub/tg/rc4092/LISEZ-MOI.html.

Le Régime enregistré d'épargne-invalidité (REEI)

Ce régime a été spécialement conçu pour favoriser l'épargne et assurer la sécurité financière à long terme des personnes handicapées. En résumé, ce régime ressemble beaucoup au REEE. Le REEI peut être établi par la personne handicapée elle-même, un de ses parents ou son mandataire. Une fois le régime établi, n'importe qui peut y cotiser. La limite des cotisations est toutefois de 200 000 $ par bénéficiaire à vie. Il est possible de cotiser au régime jusqu'à ce que le bénéficiaire ait atteint 59 ans. Les cotisations ne sont pas déductibles d'impôt et ne sont pas imposables au retrait. Les revenus de placement, les subventions et les bons sont imposables pour le bénéficiaire au moment du retrait.

Les cotisations au REEI sont admissibles à la subvention canadienne pour l'épargne-invalidité (SCEI) et au bon canadien pour l'épargne-invalidité (BCEI). Les sommes sont importantes : elles peuvent en effet représenter jusqu'à 300 % de certaines cotisations.

Les paiements doivent commencer avant que le bénéficiaire ait atteint l'âge de 60 ans. Les versements sont assujettis à des plafonds, déterminés en fonction de l'espérance de vie du bénéficiaire.

Si le bénéficiaire cesse d'être admissible au crédit d'impôt pour personne handicapée ou décède, les fonds du REEI seront versés au bénéficiaire ou à la succession. Toutefois, les SCEI et les BCEI qui auront été versés dans les 10 ans précédant les événements mentionnés plus haut devront être remboursés au gouvernement. Au décès, les revenus, moins les cotisations et les remboursements, doivent être inclus dans les revenus imposables du bénéficiaire.

A priori, ce régime paraît intéressant en raison des avantages fiscaux importants qu'il comporte. Par contre, il peut aussi avoir un prix important au moment de l'encaissement des prestations par le bénéficiaire. En effet, lorsque ce dernier aura 60 ans, il devra retirer un revenu imposable du REEI, ce qui augmentera son revenu et, éventuellement, le rendra inadmissible aux crédits ou prestations à caractère social, nécessaires au bien-être de la personne handicapée. Ces risques doivent être examinés avec des personnes compétentes avant de souscrire au REEI. Pour plus de détails sur le REEI, consultez la page Internet www. cra-arc.gc.ca/tx/ndvdls/tpcs/rdsp-reei/menu-fra.html.

CHAPITRE 18
La planification de la retraite

Les lois fiscales ont aussi des programmes inédits pour stimuler l'épargne en vue de la retraite. Contrairement aux régimes que nous avons analysés plus haut, les outils de retraite sont caractérisés par la possibilité de déduire, du revenu imposable, le montant des cotisations versées. Conséquemment, les revenus retirés de ces régimes sont imposables à 100 % au moment des retraits.

Outre les prestations de retraite assurées par les programmes gouvernementaux, les revenus pourront provenir des sources suivantes :
- un régime de pension agréé (RPA) ou l'un de ses successeurs, un compte de retraite immobilisé (CRI) ou un fonds de revenu viager (FRV) ;
- un régime de participation différée aux bénéfices (RPDB) ;
- un régime enregistré d'épargne-retraite (REER) ;
- un fonds enregistré de revenu de retraite (FERR) ;
- une rente enregistrée, achetée avec les actifs du REER ;
- une rente prescrite, souscrite avec du capital non enregistré.

Voyons d'abord les régimes qui sont des créations pures des lois de l'impôt sur le revenu.

Le Régime enregistré d'épargne-retraite (REER)

Le plus ancien et le plus connu des régimes enregistrés d'épargne est apparu dans les lois fiscales en 1957. Le REER est un mécanisme permettant d'accumuler de l'épargne à l'abri de l'impôt en vue de la retraite. Tout comme les autres régimes enregistrés, le REER est une coquille. Le financement se fait à l'aide de produits financiers distribués par les institutions financières.

Les cotisations au REER sont établies en fonction d'un montant annuel maximum. Ce plafond est fixé à 18 % du revenu gagné, ou un maximum de 21 000 $ en 2009. En 2010, il a été augmenté à 22 000 $ pour être indexé à partir de 2011. Le revenu gagné est composé, entre autres, du salaire, des produits d'exploitation d'une entreprise et des revenus de location. Il ne comprend pas les revenus de placements, les dividendes et les revenus de retraite. Si un individu ne déclare que des revenus d'intérêts ou de dividendes ou des gains en capital, il n'aura pas de revenu gagné et il ne pourra pas cotiser à un REER. Le montant servant de base au calcul des droits de cotisation, pour une année donnée, est toujours calculé en fonction du revenu gagné l'année précédente et ainsi de suite, année après année. Les droits de cotisation sont affectés par la participation à un RPA ou à un RPDB.

Le montant maximum disponible au titre des REER apparaît au bas du formulaire d'avis de cotisation expédié par l'Agence du revenu du Canada (ARC) chaque année. Depuis 1991, les droits de cotisation qui ne sont pas utilisés en entier s'accumulent et peuvent être utilisés ultérieurement. Il est possible de connaître ses droits de cotisation de l'année et le montant des droits inutilisés en s'inscrivant au service en ligne, sur la page d'accueil de l'ARC, et en cliquant sur le lien Mon dossier. Un maximum de 2 000 $ en cotisations excédentaires au REER est admis. Au-delà de cette limite, une pénalité de 1 % par mois sur les montants excédant ces premiers 2 000 $ est exigée.

La période de cotisation au REER survient pendant l'exercice financier pour lequel la déduction est demandée. Elle s'étire pour englober les 60 premiers jours qui suivent la fin de l'année. Une sage planification financière veut toutefois que l'on cotise autant que possible chaque année, et le plus tôt dans l'année pour tirer profit de tous les bénéfices que procure l'accumulation des revenus à l'abri de l'impôt.

En pratique, Michel participe à un RPA. Même si son salaire lui permettrait de cotiser jusqu'à 16 560 $, soit 18 % de son revenu gagné, son droit de cotisation est limité à 5 000 $ en raison de son facteur d'équivalence (FA), lequel est calculé en fonction de son régime de retraite. Comme il n'a cotisé que 2 500 $ en 2009, il lui reste des droits inutilisés de 2 500 $ qu'il pourra ajouter à son espace de cotisation disponible en 2010.

Lina, qui travaille à son compte et ne participe pas à un RPA, n'a pas de facteur d'équivalence. Elle peut donc cotiser jusqu'à 18 % de son revenu gagné. Si nous tenons pour acquis que ses revenus de 2009 étaient identiques à ceux de 2010, son droit de cotisation devrait être de 8 640 $. Comme elle n'a cotisé que 6 000 $, il lui reste encore des droits inutilisés de 2 640 $.

Lina aurait intérêt à ne pas attendre à la fin de la période de cotisation pour contribuer à son REER. Elle devrait le faire le plus rapidement possible, dès le début de l'année, et cotiser le montant maximum prévu. En cas de faillite, les cotisations au REER sont protégées, à l'exception de celles qui ont été faites dans les 12 mois précédant la faillite. Il serait également possible, pour Lina, de protéger la totalité de ses REER contre les créanciers, qu'elle soit en faillite ou non, en souscrivant un REER qui se qualifie comme rente auprès d'un assureur, d'une société de fiducie ou de Placements Québec. Il en serait de même d'un REER de conjoint, souscrit en son nom.

Le REER de conjoint

Étant donné que Michel a un bien meilleur revenu que Lina et qu'il recevra une rente d'un régime de retraite, il pourrait être avantageux pour le couple que Michel cotise à un REER de conjoint, dont Lina serait la rentière. Cette option est possible étant donné qu'ils se qualifient comme conjoints de fait selon les lois fiscales. Au lieu de cotiser à un REER pour lui-même, Michel verse ses cotisations dans un REER au nom de Lina. Seuls les droits de cotisation de Michel seront réduits par cette opération, tandis que ceux de Lina resteront intacts. Par contre, Michel perdra le contrôle des montants ainsi cotisés, dont Lina pourra disposer à sa guise sous réserve des règles d'attribution. En fait, si Lina retire des sommes du REER que Michel a cotisées en son nom au cours des trois années suivant la date de la cotisation, c'est lui qui devra inclure le montant du retrait dans son revenu imposable pour l'année en question, sauf si le retrait survient après une séparation de plus de 90 jours sans reprise de vie commune.

Si Michel avait cotisé les 2 500 $, indiqués à titre de déduction de son revenu, au REER de Lina le 31 décembre 2009, et que Lina retirait 2 500 $ le 27 décembre 2011, Michel devrait inclure la totalité des 2 500 $ dans son revenu de 2011. Si Lina retirait cet argent après le 1er janvier 2012, c'est elle, et non Michel, qui devrait alors inclure le montant dans son revenu.

Le REER de conjoint est un outil efficace de planification de la retraite qui favorise une meilleure répartition des revenus lorsqu'il est probable que l'un des conjoints aura un revenu de retraite plus faible que l'autre. Si Michel et Lina étaient mariés ou unis civilement, cet outil de planification de la retraite serait à conseiller. Cependant, ils sont conjoints de fait. Même si les lois fiscales leur accordent les mêmes possibilités que les couples mariés, il n'en est pas de même pour le droit civil.

S'ils étaient mariés, la valeur des REER des deux conjoints ferait partie des biens partageables du patrimoine familial au moment d'une rupture ou d'un décès prématuré. Le résultat serait le même et Michel ne serait pas perdant. Comme ils sont conjoints de fait, ce partage n'aura pas lieu. Lina conservera donc la totalité de son REER personnel et du REER de conjoint auquel Michel aura cotisé en son nom. Ce problème peut être évité en prévoyant une clause de partage, en cas de rupture du ménage ou de décès, dans le contrat de vie commune des conjoints de fait.

Qui peut avoir un REER ?

Contrairement au CELI, il n'est pas nécessaire d'avoir 18 ans pour cotiser à un REER. Il suffit d'avoir des revenus gagnés admissibles. Les enfants mineurs qui ont des emplois rémunérés peuvent accumuler des droits de cotisation pour l'avenir. Ils n'ont qu'à remplir une déclaration de revenus, même s'ils n'ont pas d'impôt à payer. Les revenus déclarés serviront à calculer les droits de cotisation au REER.

Le droit de cotiser au REER comporte toutefois un âge limite: En effet, après la fin de l'année où le rentier a atteint l'âge de 71 ans, il n'est plus autorisé à cotiser. Dans ce cas, les biens du REER doivent être transférés dans un FERR ou dans une rente.

À 71 ans, le REER cesse d'exister. Si les biens n'ont pas été transférés dans un outil de décaissement, la totalité du montant sera incluse dans le revenu du rentier pour l'année en question. L'année du 71e anniversaire est donc critique. Il ne faut pas oublier de convertir son régime avant le 31 décembre.

Un individu de 72 ans qui continue à avoir des droits de cotisations au REER parce qu'il perçoit toujours des revenus admissibles peut cotiser dans le REER de son conjoint qui n'a pas encore atteint ses 71 ans.

Le Fonds enregistré de revenu de retraite (FERR)

Le FERR est la continuité du REER. Il s'agit d'un outil de décaissement. Lorsqu'un REER a été transformé en FERR, un retrait minimum doit obligatoirement être effectué chaque année par le rentier. Les sommes ainsi retirées doivent être incluses dans le revenu du rentier pour l'année. Le retrait est calculé selon un taux prescrit qui varie en fonction de l'âge du rentier. S'il a un conjoint plus jeune, il peut être calculé en fonction de l'âge du conjoint. Le montant du FERR est admissible au fractionnement du revenu de pension, c'est-à-dire que les conjoints peuvent répartir entre eux jusqu'à 50 % de ces montants dans leur déclaration de revenus, en remplissant le formulaire approprié, chaque année.

En cas de rupture, il est possible de transférer du vivant à son ex-conjoint des montants provenant d'un REER ou d'un FERR, sans incidence fiscale, sur ordonnance d'un tribunal ou en vertu d'un accord écrit de séparation.

Les rentes enregistrées

Les actifs provenant d'un REER ou d'un FERR peuvent servir à acheter une rente viagère ou à terme fixe, avec ou sans période de garantie. Une rente est un montant échelonné, payable par versements périodiques. L'intervalle, entre chaque paiement, ne peut excéder 1 an. Contrairement au FERR, qui permet une certaine flexibilité parce qu'il n'existe aucune limite aux retraits qui peuvent être faits chaque année, les rentes fournissent annuellement le même revenu sans que le rentier ne puisse décider du montant des versements. Les versements de rente peuvent être indexés au coût de la vie si cette option a été souscrite.

Les rentes viagères des assureurs offrent l'avantage de fournir un revenu garanti à vie, que le rentier survive ou non à son capital. C'est l'assureur qui assume le risque. Il s'agit donc d'une police d'assurance contre le risque de longévité, ce qui explique en partie sa popularité croissante parmi les personnes âgées. Par contre, advenant un décès prématuré, aucun versement ne sera fait à la succession, même si le contrat n'est en vigueur que depuis quelques mois. Si cela constitue un irritant, une période de garantie de 1, 5, 10 ans ou plus peut être souscrite. Le montant de la garantie sera versé à la succession en compensation. Cette garantie réduit toutefois le montant des versements de rente perçus du vivant.

Plus la personne est âgée au moment de l'achat de la rente, plus les versements sont élevés. Les versements de rente peuvent être prévus sur la vie des deux conjoints, à titre de rentiers successifs. Le *Code civil du Québec* parle de «personnes» comme rentiers successifs et non d'«époux» ou de «conjoints unis civilement». Il serait donc possible, de prime abord, de constituer une telle rente sur des conjoints de fait sans heurter la loi.

Le versement provenant d'une rente enregistrée est pleinement imposable pour le rentier. Ce sont des revenus admissibles au fractionnement de revenu, dont il a été discuté au chapitre 13.

Les régimes de pension agréés (RPA) d'employeurs

Ces régimes sont des contrats, établis par un employeur, visant à fournir un revenu de retraite à ses employés. Tous les régimes auxquels participent les travailleurs du Québec sont régis par la *Loi* et le *Règlement de l'impôt sur le revenu* du gouvernement fédéral, et la *Loi* et le *Règlement sur les impôts* du gouvernement du Québec.

De plus, tous les régimes doivent se conformer à des lois provinciales ou fédérales portant sur les régimes de retraite. Le secteur d'activité d'un employeur détermine à quelle loi le régime est soumis. Plusieurs de ces lois régissent des secteurs d'activité particuliers. La loi-cadre dont il est le plus souvent question, au Québec, est la *Loi sur les régimes complémentaires de retraite*[21]. Lorsqu'un individu travaille dans une entreprise de juridiction provinciale, mais que son employeur a des employés dans plusieurs provinces, c'est la loi de la province où le travailleur exécute ses fonctions qui s'applique.

Certaines industries sont de compétence fédérale, par exemple les banques à charte et certaines sociétés de communication comme Radio-Canada. La loi-cadre qui regroupe le plus grand nombre de régimes privés d'allégeance fédérale est la *Loi de 1985 sur les normes de prestation de pensions*.

Bienvenue dans la Tour de Babel! Autant d'employeurs, de contrats, de lois, de définitions de conjoints de fait. Il peut exister des conflits si des conjoints mariés ou unis civilement, dont l'union n'a pas été officiellement dissoute, réclament simultanément des droits dans un régime de pension agréé (RPA) d'un employeur. Certaines lois accordent la priorité aux conjoints mariés, d'autres aux conjoints de fait.

À l'heure actuelle, on retrouve deux grandes catégories de RPA d'employeurs :
- les régimes à prestations déterminées (PD), qui assurent au bénéficiaire une rente définie à l'avance, selon un mode de calcul prévu dans le contrat, habituellement effectué en tenant compte de l'âge, du nombre d'années de service et d'un pourcentage du salaire gagné sur une période définie ;

---

21. Aussi connue sous le nom de « Loi RCR », L.R.Q., c. R15.1

- les régimes à cotisations déterminées (CD), qui ne promettent pas une rente définie à l'avance. L'employeur y verse un pourcentage fixe du salaire. La rente est en fonction de ce que le montant des cotisations accumulées peut acheter.

Le Régime de participation différée aux bénéfices (RPDB)

Le Régime de participation différée aux bénéfices (RPDB)[22], quant à lui, est financé en grande partie à l'aide de cotisations de l'employeur, calculées en fonction des profits de l'entreprise de même qu'en fonction du salaire de l'employé en droit d'y participer. Il n'y a pas de garantie de revenu spécifique, la rente correspond à ce que les cotisations accumulées peuvent acheter. Plusieurs régimes sont des hybrides. Ils peuvent comporter des caractéristiques empruntées à chacune des grandes catégories de régime de pension décrites plus haut.

Le Régime de retraite simplifié (RRS)

Récemment, devant le désintérêt manifesté par les employeurs envers les régimes de retraite conventionnels, la Régie des rentes du Québec a permis la création d'un nouveau type de régime : le Régime de retraite simplifié (RSS). Il comporte un régime d'administration plus souple et soulage les employeurs du fardeau de devoir couvrir les déficits actuariels. C'est un régime de type cotisation déterminée (CD).

Les REER collectifs

Enfin, des REER collectifs sont aussi rendus disponibles par certains employeurs. Ils ne sont pas considérés comme des régimes de retraite, même si certains y versent des cotisations qui représentent un pourcentage des salaires. Ce ne sont, ni plus ni moins, que des REER, et ils sont traités comme tels. Il faut donc se référer aux règles auxquelles sont soumis les REER et non à celles qui régissent les régimes de retraite.

---

22. Il est à noter que la *Loi sur les régimes complémentaires de retraite* ne s'applique pas au RPDB, qui n'est soumis qu'aux lois fiscales.

Les Régimes de retraite individuels (RRI)

Les Régimes de retraite individuels (RRI) sont des RPA destinés aux propriétaires d'entreprises. Ce sont des régimes de type RPA à prestations déterminées (PD).

Le CRI, le FRV et le REER immobilisé

Finalement, le compte de retraite immobilisé (CRI), le Fonds de revenu viager (FRV) et les REER immobilisés au fédéral sont des continuités des régimes de retraite. Ce sont des outils qui servent à recevoir des montants provenant d'un transfert d'un RPA au moment de la cessation d'un emploi ou de la retraite.

Avant de rencontrer Michel et d'avoir des enfants, Lina travaillait pour une grande entreprise où elle participait au régime de retraite des employés. Lorsqu'elle a quitté cet emploi, elle a décidé de retirer les sommes accumulées dans le RPA et de les transférer dans un CRI, lequel est l'équivalent d'un REER. Il est possible de choisir soi-même les placements servant à le financer. Cependant, comme les sommes qui y sont déposées proviennent d'un régime de retraite, elles ne sont pas disponibles avant l'âge de la retraite, sauf en quelques très rares situations. Ces actifs sont « immobilisés ».

Tout comme pour le REER, à l'âge de 72 ans, il est obligatoire de commencer à retirer des montants du CRI. Il faut donc transférer les actifs dans un FRV ou dans une rente avant la fin de l'année durant laquelle le rentier atteint ses 71 ans. Les contrats de CRI et de FRV, de même que les rentes, doivent respecter la loi qui régit le RPA et prévoir les mêmes bénéfices au conjoint survivant.

Les régimes de retraite et les conjoints de fait

De leur vivant, les conjoints de fait n'ont aucun droit sur le régime de retraite de leur conjoint. Le *Code civil du Québec* ne donne des droits qu'à un époux ou à un conjoint uni civilement et prévoit un partage du régime en cas de rupture de l'union. Par contre, la *Loi sur les régimes complémentaires de retraite (Loi RCR)* prévoit qu'au moment de la cessation de la vie maritale, les conjoints de fait qui se qualifient comme tels, conformément à la définition qu'en fait cette loi, peuvent, au moyen d'une entente écrite, convenir de partager entre eux jusqu'à 50 % de la valeur des droits accumulés par le participant au régime de retraite.

Lina considère que ceci est une excellente nouvelle. Après tout, les conjoints de fait ont des droits.

Le partage ainsi permis n'est pas une obligation. Il dépend entièrement de la bonne volonté du conjoint participant. Le partage se fait de gré à gré et, sans volonté de part et d'autre, il n'y a pas de partage. Ce n'est pas un droit que les tribunaux peuvent sanctionner, sauf si ce partage est prévu dans le contrat de vie commune des conjoints de fait.

Mais qu'en est-il des droits de Sabrina, l'épouse séparée de fait mais non de corps, qui se trouve dans la chambre d'hôpital de Michel ? Nous verrons plus loin qu'elle pourrait avoir tous les droits. Le conjoint marié ou uni civilement, séparé de fait mais non divorcé, ou dont l'union civile n'a pas été officiellement dissoute, a priorité sur le conjoint de fait pour recevoir la rente de conjoint survivant.

Définition du terme « conjoint de fait » aux fins de la *Loi sur les régimes complémentaires de retraite (RCR)* :

Le conjoint est la personne de sexe différent ou de même sexe, qui vit maritalement avec un participant ni **marié ni uni civilement**, depuis **au moins trois ans** ou, dans les cas qui suivent, depuis **au moins un an** :

- un enfant au moins est né ou à naître de leur union ;

- ils ont conjointement adopté au moins un enfant durant leur vie maritale ;

- l'un d'eux a adopté au moins un enfant de l'autre durant cette période.

Pour être admissible aux rentes prévues par le régime, il faut être le conjoint au moment où le participant commence à recevoir les versements de rente en question. Si aucune rente n'est servie du vivant, c'est le conjoint, le jour du décès, qui aura les droits prévus par le régime.

Nous l'avons déjà mentionné, la *Loi RCR* est une loi-cadre qui régit les régimes d'employeurs qui ne sont pas visés par des lois particulières. Il existe de nombreuses lois particulières. Citons la *Loi sur les régimes de retraite des employés du gouvernement et des organismes publics (REGOP)*, la *Loi sur les régimes de retraite des enseignants (RRE)*, la *Loi sur les régimes de retraite des fonctionnaires (RRF)*. Ces régimes de retraite, ainsi que plusieurs autres, sont administrés par la Commission administrative des régimes de retraite et d'assurance (CARRA), laquelle gère les droits des conjoints, y compris ceux des conjoints de fait, lors de la rupture ou du décès d'un participant. Au moment de faire la planification de la retraite et de la succession, il est toujours préférable de vérifier les politiques administratives de la CARRA sur toutes ces questions. La liste des régimes de retraite administrés par cette dernière est publiée sur la page www.carra. gouv.qc.ca/fra/regime/autres_regimes.htm.

Il faut toujours vérifier le détail des règles applicables au RPA auprès de l'administrateur du régime de retraite ou du comité de retraite de l'employeur.

CHAPITRE 19
La planification de la succession

Cette section traite particulièrement de l'impôt et du décès. Les aspects fiscaux des transferts de régimes enregistrés au décès y seront abordés.

Les impôts et le décès

Personne n'échappe au percepteur d'impôt qui, ultimement, réclame des comptes, même lorsque le contribuable est dans la tombe. Au moment de son décès, les autorités fiscales considèrent qu'un individu a disposé de tous ses biens à leur juste valeur marchande immédiatement avant de décéder. Cela signifie qu'il réalise tous les gains en capital latents sur ses résidences, maisons, condos, chalets, actions de société, collections, bijoux et autres biens de plus de 1 000 $ qu'il possède.

Les régimes enregistrés, quels qu'ils soient – REER, FERR, RPA, CRI, FRV CELI, REEE, REEI –, répondent tous à des règles particulières de transmission au décès.

Les conjoints de fait, s'ils héritent par testament, peuvent recevoir les biens de leur conjoint décédé, nets d'impôt. Les personnes à charge, qu'il s'agisse d'enfants mineurs ou de personnes majeures handicapées, peuvent aussi profiter de certains allègements fiscaux lors du décès de l'un de leurs parents.

Différer l'impôt au moment du décès n'est pas toujours l'option la plus avantageuse. Cela ne fait que reporter l'impôt dû sur les biens légués au moment où ils seront vendus par le conjoint survivant ou, au plus tard, lorsque lui-même décédera. Si le revenu imposable de la personne décédée est faible ou si le décès survient en début d'année, alors que peu de revenus ont été encaissés, il peut être moins pénalisant de faire assumer certains impôts immédiatement au lieu de les reporter à une date indéfinie. La production de la déclaration finale du défunt est la dernière chance de réclamer les pertes que ce dernier a subies lors de transactions antérieures. Il ne faut donc pas perdre les bonnes occasions par manque de planification fiscale.

La fiscalité relative au transfert des biens du défunt demande une attention particulière lors de la préparation du testament. La situation doit être révisée lors de l'ouverture de ce dernier. Le liquidateur doit s'assurer d'avoir tous les renseignements pertinents, y compris les dernières déclarations de revenus de la personne décédée, et ce, pour minimiser les impôts.

Qu'il s'agisse d'une succession avec ou sans testament, il est toujours possible de faire une planification fiscale efficace après le décès avec l'aide d'un bon planificateur financier.

Le règlement d'une succession

Les procédures administratives qui entourent le décès sont importantes. Le mandataire de la personne décédée, soit le liquidateur, est responsable de l'administration et de la liquidation de la succession. En acceptant cette responsabilité, le liquidateur assume un rôle complexe et exigeant. La responsabilité légale du liquidateur est importante et il n'est pas rare qu'il soit poursuivi devant les tribunaux pour les principales raisons qui suivent:

- par les héritiers, pour des erreurs commises au cours de la liquidation;

- par les autorités fiscales parce qu'il n'a pas rempli son devoir en conformité avec la loi.

Ces erreurs sont souvent liées à une méconnaissance de la loi et à une mauvaise planification fiscale, qui peuvent coûter cher à la succession.

La première étape de la liquidation d'une succession consiste à faire une recherche testamentaire. Si le défunt a laissé un testament, il y a certainement désigné une ou plusieurs personnes pour agir comme liquidateur. Si aucun testament n'est retrouvé, l'ensemble des héritiers légaux assumera ce rôle. Plusieurs personnes peuvent agir simultanément comme liquidateurs d'une succession. Dans ce cas, elles ont toutes des pouvoirs égaux. Elles doivent agir ensemble, d'un commun accord, et non en fonction de la majorité. Il est aussi possible que l'ensemble des héritiers désigne une personne pour agir comme liquidateur. S'il y a trop de mésententes, toute personne intéressée peut demander au tribunal de désigner ou de remplacer le liquidateur.

Michel n'a pas de testament. Lina, sa conjointe de fait, n'héritera donc pas de ses biens. N'étant pas héritière, elle ne fait pas partie de ceux qui peuvent agir comme liquidateurs de la succession. Leurs deux enfants sont encore mineurs. Même s'ils héritent automatiquement de leur père, ils n'ont pas la capacité juridique pour agir comme liquidateurs de la succession. À titre de tutrice légale de ses enfants mineurs, Lina pourra veiller à leurs intérêts.

Partager la propriété de certains biens, comme la maison familiale, avec des enfants mineurs comporte des difficultés importantes pour Lina. Ses intérêts personnels pourraient éventuellement diverger de ceux de ses enfants.

L'existence de Sabrina, l'épouse ni divorcée ni séparée de corps légalement, vient ajouter un degré de complexité à une situation déjà très épineuse sur les plans juridique et fiscal. Elle hérite du tiers des biens de Michel, sans distinction : résidence, REER, options d'achat d'actions de l'employeur, compte de banque, placements chez le courtier en valeurs mobilières. Pire, c'est elle qui a droit au régime de retraite de l'employeur de Michel, au détriment de Lina et des enfants.

Les obligations fiscales du liquidateur

Au fédéral comme au Québec, le liquidateur a comme premier devoir d'informer les autorités fiscales du décès d'une personne le plus rapidement possible. Au fédéral, le liquidateur doit remplir le formulaire *Demander ou annuler l'autorisation d'un représentant*

(T1013). Au Québec, le liquidateur doit se présenter comme le représentant du défunt. Les deux paliers de gouvernement exigent un certificat de décès, une copie du testament ou de tout document qui identifie le liquidateur.

Divers avis doivent être envoyés si le défunt touchait des prestations gouvernementales comme la PFCE, la PUGE, le PSE, la PSV, le SRG, et des prestations du RRQ, **lesquels seront annulés. Le conjoint survivant devra en refaire la demande. De nouveaux chèques lui seront envoyés, avec les ajustements calculés sur le nouveau revenu familial net admissible.** Le conjoint survivant qui recevait lui-même ces prestations devra demander un nouveau calcul en raison du changement survenu dans sa situation personnelle. Les remboursements de crédits de TPS et de TVQ ne peuvent être touchés que par la personne mentionnée dans la déclaration de revenus annuelle. Il est illégal pour la succession d'encaisser ces chèques, exception faite de ceux qui ont été reçus pendant le mois au cours duquel le décès est survenu. Les chèques doivent être renvoyés. Lorsque la demande en est faite, les ajustements appropriés seront apportés par le gouvernement et de nouveaux chèques seront envoyés au conjoint survivant.

À cet effet, les autorités gouvernementales publient de l'information sur la façon de procéder sur leurs sites Internet: www.cra-arc. gc.ca/F/pbg/tf/t1013/LISEZ-MOI.html et www.revenu.gouv.qc.ca/fr/ citoyen/situation/deces/declar_defunt.aspx

Les déclarations de revenus du défunt

Le liquidateur est responsable de faire l'inventaire des biens de la succession, de produire les déclarations de revenus, de compléter les choix fiscaux de façon à maximiser la valeur après impôt de la succession, de payer l'impôt, d'obtenir les certificats pour autoriser la distribution des biens du défunt à ses héritiers, de payer les dettes et, enfin, de procéder à cette distribution. Il doit aussi aviser les héritiers des conséquences fiscales qui les concernent et des choix qu'il a faits.

La liquidation d'une succession peut durer quelques mois ou quelques années, selon sa complexité. Régler la succession d'un homme d'affaires qui possède des biens et des opérations dans plusieurs pays risque d'être pas mal plus long et complexe que celle d'un retraité de 90 ans n'ayant aucun lien avec l'étranger et qui vit dans un foyer pour personnes âgées non autonomes depuis 10 ans. Les autorités fiscales des pays étrangers ont aussi des procédures administratives. Il faut s'assurer que le défunt qui possède des biens à l'extérieur du Canada soit en règle avec elles.

Plusieurs déclarations de revenus devront être produites. La date de production de la déclaration de revenus de la personne décédée et, du même coup, le paiement des impôts dus dépend de la date du décès:

- si le décès survient entre le 1er janvier et le 31 octobre: le 30 avril de l'année suivante ou le 15 juin, si le décédé ou son conjoint exploitait une entreprise non incorporée;

- si le décès survient entre le 1er novembre et le 31 décembre: six mois après la date du décès.

Déclarations de revenus distinctes

Le revenu de la personne décédée peut aussi être réparti en plusieurs déclarations distinctes si, au moment de son décès, il avait le droit de recevoir des revenus périodiques qu'il n'avait pas encore touchés. Les «droits et biens» sont constitués de montants périodiques gagnés avant le décès, mais non encore versés au moment où celui-ci est survenu:

- les salaires gagnés mais non encore payés;

- les coupons d'intérêts sur les obligations échues avant le décès;

- les intérêts accumulés sur des obligations;

- les dividendes déclarés et non versés;

- les prestations de la PSV, du RRQ, du RQAP accumulées avant le décès mais non encore encaissées;

- les paiements rétroactifs, tels que les ajustements prévus à une convention collective ou les réajustements aux prestations d'assurance emploi.

La production d'une déclaration distincte de « droit et biens » peut permettre de réduire considérablement les impôts de la personne décédée. Cette option ne peut être ignorée par le liquidateur.

Certains crédits d'impôt sont offerts et peuvent être réclamés à la fois au moyen de la déclaration principale et des déclarations secondaires de la personne décédée. Ces crédits sont :
- le montant personnel de base ;
- le montant en raison de l'âge (plus de 65 ans) ;
- le montant pour personnes à charge admissibles au fédéral ;
- le montant pour enfants mineurs aux études au Québec ;
- le montant pour personnes à charge âgées de plus de 18 ans ou ayant une déficience ;
- le montant pour aidant naturel au fédéral.

D'autres crédits peuvent être réclamés au moyen de l'une ou l'autre des déclarations, ou répartis entre elles :
- le montant accordé en raison de l'âge pour revenus de retraite ou pour personne vivant seule (Québec) ;
- le montant pour personne handicapée ;
- le montant pour frais médicaux ;
- le montant pour frais de scolarité et pour les intérêts payés sur les prêts étudiants ;
- le crédit pour don de bienfaisance, lequel n'est pas limité à 75 % du revenu net, mais bien à 100 % pour l'année du décès et l'année précédant le décès. Ce crédit peut donc obliger à faire une déclaration de revenus modifiée pour l'année précédant le décès ;
- le coût du laissez-passer de transport en commun au fédéral.

Les crédits relatifs aux revenus de pension ne peuvent être appliqués que pour minimiser les revenus de pension.

D'autres crédits d'impôt, plus spécifiques à des programmes particuliers, peuvent être offerts. Chaque cas doit donc faire l'objet d'une vérification.

Les déclarations de revenus de la succession

Aux fins fiscales, une succession est une fiducie[23]. Il s'agit d'une «fiducie testamentaire», même en l'absence de testament. Pour l'impôt, une fiducie est comme un individu, en ce sens qu'elle doit annuellement produire une déclaration de revenus. La fiducie testamentaire commence au moment du décès. Contrairement à une fiducie créée du vivant, dont l'exercice financier se termine le 31 décembre, il est possible de choisir une autre date pour désigner la fin de l'exercice financier. De plus, une fiducie entre vifs est toujours soumise au plus haut taux d'imposition, quel que soit le niveau des revenus imposables, alors que la fiducie testamentaire a le même taux d'impôt graduel que les individus. Il s'agit là d'une autre possibilité de fractionner le revenu et de diminuer l'impôt à payer par les héritiers.

Le fait, pour la fiducie testamentaire, d'être imposée sur certains revenus qui reviendraient aux héritiers permet d'étaler les montants imposables entre plusieurs personnes. Ces techniques peuvent préserver et, parfois, augmenter la valeur des prestations sociofiscales et des crédits d'impôt payables à la famille ou aux personnes âgées, leur revenu net n'en étant pas affecté.

---

23. Nous avons vu précédemment qu'il est possible de créer une fiducie spécifiquement pour le bénéfice des enfants mineurs ou toute personne que l'on désire protéger en raison d'un handicap physique ou mental ou une personne âgée en perte d'autonomie. Lors d'un décès, le liquidateur joue le rôle d'un administrateur du bien d'autrui comme le fiduciaire. Au niveau fiscal, la succession est considérée comme une fiducie pour les fins de la production des rapports d'impôt.

Les REER et autres régimes enregistrés d'épargne-retraite au décès

Le rentier d'un régime enregistré qui décède doit aussi payer l'impôt sur la juste valeur marchande des biens de ses régimes enregistrés d'épargne-retraite. Le liquidateur doit inclure, dans la déclaration de revenus finale de la personne décédée, le montant total des actifs détenus dans les régimes enregistrés.

Revenu de la personne décédée		
JVM[24] du REER au décès .	100 000	
Transfert conjoint/enfant		
Inclusion au revenu	100 000	
Revenu imposable	100 000	
Impôt payable @ 43,4 %	43 400	
Net pour la succession		56 600

L'impôt à payer peut être réduit, en tout ou en partie, quand un transfert au conjoint de fait survivant, aux enfants mineurs ou majeurs handicapés financièrement à charge est possible. Si le défunt n'a pas de conjoint ou d'enfants qui se qualifient pour recevoir les actifs du régime, l'impôt peut être réduit ou annulé en utilisant des techniques de dons planifiés au décès[25].

---

24. JVM signifie la juste valeur marchande du bien.

25. Les dons planifiés permettent d'utiliser des actifs pour faire des dons de bienfaisance. L'économie d'impôt alors réalisée peut être importante, mais il reste que le don a un coût. L'actif donné n'est plus dans le bilan de la personne décédée. Ces dons se font à l'aide d'une désignation de bénéficiaire ou par un legs dans un testament. Ils doivent être bien structurés pour que la succession du défunt puisse profiter des crédits fiscaux qui s'appliquent. Les organismes de bienfaisance importants, comme les fondations de centres universitaires et d'hôpitaux ou les organismes communautaires, ont recours aux services de spécialistes en dons planifiés pour assister leurs donateurs dans ce processus. Les planificateurs financiers ont aussi les connaissances nécessaires pour permettre de structurer efficacement de tels dons. Le site Internet de l'Association des professionnels en dons planifiés (ACPDP) fournit plus de détails sur ces questions : www.cagp-acpdp.org.

Le transfert des REER, FERR, CRI et FRV

Le traitement fiscal des régimes enregistrés au décès est différent selon que le régime est en période d'accumulation ou que la personne décédée avait commencé à recevoir des paiements.

Les régimes en accumulation sont le REER et le CRI. Les régimes à maturité sont les FERR, les rentes enregistrées et les FRV[26]. Légalement, tous ces régimes font partie des biens du patrimoine familial partageable au moment du décès des époux ou conjoints unis civilement. Si la personne décédée a toujours un époux ou un conjoint uni civilement de qui il n'est pas légalement séparé, le partage du patrimoine familial s'effectuera prioritairement selon le testament. En conséquence, le liquidateur devra s'assurer que les réclamations de l'époux en matière de patrimoine familial et de régime matrimonial ont été satisfaites avant de partager la succession.

Mode de dévolution

Une personne peut léguer ses régimes enregistrés par testament. Si le régime se qualifie comme rente viagère ou à terme fixe et qu'il satisfait aux critères du *Code civil du Québec*, de la *Loi sur les assurances* ou de la *Loi sur les sociétés de fiducie et les sociétés d'épargne*, le REER est alors considéré comme un produit d'assurance. Une désignation de bénéficiaire directement dans le produit assure le transfert, sans passer par la succession.

La prudence est de mise. Il faut poser des questions à la personne qui nous vend le produit et faire des recherches personnelles pour s'assurer que la désignation de bénéficiaire est valide.

Au Québec, les lois régissant les désignations de bénéficiaires des produits enregistrés sont claires, mais elles ne sont pas simples. Les lois en vigueur dans les autres provinces canadiennes contribuent à rendre les choses encore plus compliquées. Les formulaires de désignation de bénéficiaires des institutions

---

26. Même si les CRI et les FRV représentent la continuité des régimes de retraite agréés des employeurs, aux fins de l'impôt, ce sont des REER et des FERR, qui sont régis par les mêmes règles fiscales.

financières ne sont pas toujours conçus en fonction des lois du Québec. Il existe certains formulaires, disponibles dans les institutions bancaires en Ontario et dans d'autres provinces canadiennes, qui permettent de procéder à de telles désignations puisqu'elles y sont permises, mais elles n'ont aucune valeur au Québec si le régime n'est pas une rente. La désignation de bénéficiaire, effectuée à l'aide de ces formulaires, ne sera pas considérée comme un testament valide non plus. Le bénéficiaire désigné n'aura donc aucun droit.

Sans un testament qui les avantage, les conjoints de fait n'ont aucun droit dans la succession l'un de l'autre. À défaut d'un testament, il est donc fondamental qu'ils s'assurent que leurs désignations de bénéficiaire sont valides. En cas de doute sur la validité de la désignation de bénéficiaire, il faut formuler clairement ses intentions dans un testament en bonne et due forme.

Revenons à Michel et à Lina. Pour une fois, Lina a un avantage en raison de son statut de conjointe de fait. La valeur de son REER personnel, de son CRI ainsi que le REER de conjoint auquel Michel a souscrit en son nom ne sont pas inclus dans le partage du patrimoine familial que Sabrina, l'épouse en titre, ne manquera certainement pas de réclamer.

Si Michel avait fait une désignation de bénéficiaire valable, les actifs du REER seraient transférés directement à Lina, sans autre formalité. La valeur partageable des régimes aurait quand même été incluse dans le partage du patrimoine.

Le bénéficiaire désigné n'est pas responsable des dettes de la succession, y compris celles du patrimoine familial. Il n'est pas responsable non plus de l'impôt de la personne décédée. Seuls ceux qui sont dus sur le REER pourraient lui être réclamés par les autorités fiscales si la succession n'a pas assez d'argent pour tout payer.

Le REER prend fin au décès de son détenteur. Il devient donc pleinement imposable. La juste valeur marchande, au moment du décès, doit être incluse dans le revenu de la personne décédée.

Si les actifs du REER sont transférés directement au conjoint par une désignation de bénéficiaire, la juste valeur marchande du REER ne sera pas incluse dans le revenu de la personne décédée. Pour que cette option soit possible, trois conditions doivent être remplies :

- l'époux ou le conjoint de fait[27] doit être l'unique bénéficiaire désigné dans le contrat de REER ou par testament ;

- l'époux ou le conjoint de fait doit donner instruction à l'émetteur du REER de transférer les biens du REER directement dans un autre REER à son nom ;

- le transfert doit se faire avant le 31 décembre de l'année suivant le décès.

Dans tous les autres cas de legs par testament, le REER passera par la succession. Le liquidateur ainsi que le conjoint survivant devront faire un choix fiscal à l'aide des formulaires T2019 au fédéral et TP-930 au Québec. Ce choix permet de réduire les impôts de la personne décédée. Le montant transféré par le défunt est un remboursement de primes. Le conjoint de fait doit inclure le montant du REER dans son revenu imposable. Il peut toutefois éviter de payer l'impôt en achetant lui-même un nouveau REER, un FERR ou une rente enregistrée à son nom dans l'année où il reçoit les actifs du régime ou, au plus tard, dans les 60 jours suivant la fin de cette année. L'émetteur du nouveau régime lui fera parvenir les feuillets fiscaux appropriés pour qu'il puisse déduire de son propre revenu imposable les montants ainsi investis. Il continuera de profiter de la croissance à l'abri de l'impôt sans affecter ses propres droits de cotisation à son REER.

---

27. Au Québec, le conjoint uni civilement est admissible à ce transfert direct immédiatement après la célébration de l'union civile. Au fédéral, il doit se qualifier comme conjoint de fait pour pouvoir en profiter.

Transfert direct au conjoint		
	Défunt	Conjoint
JVM du REER au décès	100 000	
Transfert conjoint/enfant	100 000	
Inclusion au revenu	100 000	
Revenu imposable	100 000	
Souscription REER		100 000
Déduction	(100 000)	
Revenu imposable	0	
Impôt payable	0	

La «bigamie fiscale»

Les lois de l'impôt ne font pas de différence entre les époux ou les conjoints de fait lors de la dévolution des biens d'une succession. Que les biens soient transmis à l'époux non divorcé ou à un conjoint de fait qui se qualifie, les mêmes règles fiscales s'appliqueront et il n'y aura pas de priorité accordée à l'un ou à l'autre.

Transfert à l'enfant ou au petit-enfant mineur financièrement à charge

Avant 1996, il n'était pas permis de transférer les actifs de ses régimes enregistrés à un enfant ou à un petit-enfant financièrement à charge si le défunt avait un conjoint, incluant un conjoint de fait survivant. Cette restriction a été retirée et il est désormais possible de donner son REER ou son FERR à ses enfants à charge, qu'ils soient mineurs ou majeurs, handicapés physiquement ou mentalement.

Les étapes sont les mêmes que celles qui doivent être suivies lorsque les biens du REER sont versés au conjoint survivant. L'élection, à titre de remboursement de primes, doit se faire par la production du formulaire 2019 (TP-930 au Québec), que le mandataire de la personne décédée et celui de l'enfant mineur devront remplir, avec les ajustements requis.

Jusqu'à maintenant, les éléments de planification testamentaire sont les mêmes que ceux qui s'appliquent au conjoint bénéficiaire désigné ou légataire. L'enfant ou le petit-enfant mineur à charge devra inclure le montant reçu à titre de remboursement de primes dans son revenu imposable pour l'année. Pour éviter l'imposition, le mandataire de l'enfant pourra souscrire une rente non viagère à terme fixe, dont les versements sont prévus jusqu'à ce qu'il atteigne l'âge de 18 ans.

Fiducie au profit exclusif d'un mineur

Il n'est pas aisé de planifier son testament lorsqu'on a des enfants mineurs. Toutes sortes de contraintes peuvent apparaître, particulièrement dans un contexte de famille recomposée. Il est possible de souscrire la rente pour les enfants mineurs au moyen d'une fiducie exclusive en leur faveur. Ces outils sont particulièrement efficaces pour protéger les actifs et permettre qu'un fiduciaire exerce un certain contrôle sur le moment et le montant des remises d'argent aux enfants, au lieu de remettre en bloc un capital important entre les mains de l'enfant lorsqu'il aura atteint sa majorité.

Ces techniques demandent un bon testament, bien rédigé par un juriste qui connaît la fiscalité. Des coûts y sont rattachés. Par contre, les avantages pour les enfants et la famille valent l'investissement.

Transfert à l'enfant majeur handicapé financièrement à charge

Dans le cas de l'enfant handicapé financièrement à charge, contrairement à l'enfant ou au petit-enfant mineur, il n'y a pas d'obligation d'acquérir une rente payable sur une période déterminée. La personne handicapée pourra continuer à différer l'impôt en acquérant un REER, un FERR ou une rente viagère ou à terme fixe, avec ou sans période de garantie, dont elle sera la rentière.

Les FERR, les FRV et les rentes

Comme pour les régimes en accumulation, on doit inclure, dans le revenu imposable de la personne décédée, un montant égal à la juste valeur marchande des actifs du régime dans l'année du décès.

Deux possibilités sont offertes lorsque le rentier du FERR décède, laissant un époux ou un conjoint survivant:
- les versements du FERR sont transférés à l'époux ou au conjoint survivant qui est nommé bénéficiaire ou rentier successeur (remplaçant);
- une somme forfaitaire est versée à un bénéficiaire admissible.

La première option permet de continuer de percevoir les versements, sans autre formalité pour l'avenir. Le conjoint survivant est nommé bénéficiaire ou rentier remplaçant dans le contrat ou par testament. À défaut, le liquidateur et l'institution financière qui a émis le FERR indiquent qu'ils sont d'accord pour que les versements soient effectués directement au conjoint de fait. On ne se verra pas dans l'obligation d'inclure, dans les revenus de la personne décédée, la totalité de la juste valeur marchande, mais seulement les versements reçus dans l'année avant son décès. Le conjoint survivant devra inclure les montants qu'il recevra du FERR dans sa déclaration de revenus de l'année, ou la différence entre le montant minimum du FERR et la partie que le rentier décédé avait reçue dans l'année.

Lina n'en est pas à son premier deuil. Son père, Jean, est décédé le 15 juillet 2008. Il était alors rentier d'un FERR. Il a désigné Madeline, son épouse, comme rentière successeur sur son contrat. Au moment de son décès, il avait déjà encaissé 2 500 $ provenant de son FERR. Lina, comme liquidatrice de sa succession, a reçu un T4RIF au nom de Jean, indiquant, à la case 16, que ce dernier a reçu 2 500 $ du FERR, en 2008. Comme cette somme n'excède pas le montant minimum du FERR, aucun excédent ne devra donc être déclaré.

Madeline, pour sa part, à titre de rentière remplaçante, a continué de percevoir les versements du FERR. Le minimum du FERR de Jean étant de 7 000 $ pour l'année, elle a reçu un T4RIF à son nom, indiquant la somme de 4 500 $ à la case 16. Si des sommes excédant le minimum avaient été encaissées par Madeline avant la fin de l'année, ces dernières seraient rapportées à la case 24 du feuillet.

Si, au moment de son décès, Jean n'avait pas encore reçu de versements du FERR, l'émetteur aurait alors déclaré la totalité du montant minimum dans un T4RIF au nom de Madeline.

Conjoint rentier successeur du FERR				
JVM du FERR	100 000	Jean	Madeline	Succession
Montant minimum	7 000			
Revenu reçu avant le décès		2 500		
Revenu reçu après le décès			4 500	
Revenu imposable		2 500	4 500	0
Impôt payable à 28,5 %		712,50	1 282,50	0

Si la deuxième option est choisie, le mécanisme d'inclusion et de déduction sera alors identique à celui des REER. Cette option s'appliquera également si le régime est transféré à un enfant ou à un petit-enfant mineur financièrement à charge de la personne décédée, qui doit acheter une rente payable jusqu'à l'âge de 18 ans.

Transfert du FERR au conjoint		
	Personne décédée	Conjoint
JVM du FERR au décès	100 000	
Transfert conjoint/enfant		100 000
Inclusion au revenu		100 000
Revenu imposable		100 000
Souscription REER-FERR		100 000
Déduction		(100 000)
Revenu imposable		0
Impôt payable		0

Les rentes enregistrées

Si le rentier a choisi de recevoir une rente viagère ou une rente à terme fixe pour encaisser son REER échu, les versements de rente continueront à être payés au conjoint de fait survivant s'il est désigné comme rentier successeur ou comme bénéficiaire dans le contrat ou le testament.

Si le contrat de rente le permet, une somme forfaitaire, appelée « rente commuée », peut être versée au conjoint de fait survivant, en remplacement de la rente. L'inclusion ne doit pas être faite dans le revenu de la personne décédée, mais dans celui du conjoint survivant. Il pourra lui-même déduire cette somme s'il a acheté un REER, un FERR ou une rente à son nom.

Si le conjoint survivant n'est pas bénéficiaire ou rentier successeur, les actifs du régime passeront à la succession. Le liquidateur et le conjoint survivant devront donc faire des choix pour éviter le paiement d'impôt dans l'année du décès.

Les pertes accumulées dans le REER et le FERR après le décès

Le REER ou le FERR cesse d'exister au moment du décès. Il peut s'écouler plusieurs mois, voire des années avant que les actifs du REER ne soient remis aux héritiers. Selon les marchés, les placements peuvent alors subir des pertes. Avant 2008, il n'était pas possible de réclamer les pertes subies sur les actifs du régime entre le moment du décès et celui où ils étaient transférés aux héritiers. L'ampleur des pertes boursières liées à la dernière crise financière a obligé le gouvernement à réagir. Il est maintenant possible de déduire les pertes lorsque les conditions suivantes sont réunies :

- le REER est encaissé au plus tard le 31 décembre de l'année suivant celle du décès ;

- après le décès, aucun placement inadmissible n'a été effectué dans le régime ;

- le régime doit se terminer après la fin de l'année 2008, c'est-à-dire que le dernier paiement doit survenir en 2009 ou après.

Le solde des sommes retirées en vertu d'un RAP ou d'un REEP

Si la personne décédée avait un solde à rembourser en vertu de sa participation au Régime d'accession à la propriété (RAP) ou au Régime d'encouragement à l'éducation permanente (REEP), le total du montant qui reste à rembourser doit être inclus dans le revenu de la personne décédée pour l'année du décès. Si le conjoint de fait hérite du REER, il pourra continuer à faire les remboursements. Il s'agit d'un choix qui doit être fait par le liquidateur et le conjoint survivant. Il suffit d'envoyer aux autorités fiscales une simple lettre à cet effet, signée par le liquidateur et le conjoint survivant.

Le Régime de pension agréés (RPA) au décès

Dans les régimes de retraite régis par les lois du Québec, un montant de rente réversible, au moins égal à 60 % du montant de la rente du participant, doit être prévu. Ce montant est payable au conjoint survivant après le décès du rentier principal. Pour les régimes fédéraux, cette obligation s'élève à 50 %.

Le droit de recevoir une rente réversible prend fin à la cessation de la vie maritale. Ainsi, lorsque des conjoints divorcent, aucun d'entre eux n'a droit à la rente de conjoint survivant si l'un ou l'autre décède par la suite, même s'il n'y a pas de nouveau conjoint à l'horizon. Par contre, lorsque le conjoint survivant reçoit la rente réversible au conjoint ou s'il a obtenu le droit de la recevoir, il la conserve qu'il se marie, s'unisse civilement ou vive maritalement avec un autre conjoint de sexe différent ou de même sexe, par la suite.

Lorsqu'un participant décède alors qu'il est encore trop jeune pour recevoir une rente de retraite, son conjoint qui se qualifie au jour du décès a droit à une prestation, payable en un seul versement.

Lina aura-t-elle droit à cette somme si Michel décède ? La réponse serait oui si Michel et Sabrina étaient séparés de corps, mais ils ne le sont pas ! En vertu de la *Loi RCR*, le conjoint est la personne qui est liée, par mariage ou union civile, à la personne qui participe au régime. Sabrina pourrait donc légalement prétendre à tous les droits du RPA de Michel.

Il est à noter qu'en matière de régime de retraite, le conjoint marié ou uni civilement ou le conjoint de fait survivant qui se qualifie au moment du décès a un droit prioritaire sur tout autre ayant droit, y compris les enfants du participant, de recevoir le montant forfaitaire ou la rente payable, en vertu du régime. Ces dispositions causent bien des problèmes au moment de la planification de la succession des familles recomposées. Le régime de retraite étant souvent un des actifs les plus importants accumulés au cours de la vie, il est parfois difficile d'équilibrer les lots.

À l'opposé, si Michel avait travaillé pour une société fédérale et que son régime de retraite était régi par la *Loi de 1985 sur les normes de prestation de pension*, Lina aurait eu droit à la prestation malgré l'existence de Sabrina. En fait, la loi fédérale donne priorité au conjoint de fait après un an de cohabitation, même s'il subsiste un conjoint marié. Rappelons qu'au fédéral les conjoints unis civilement sont des conjoints de fait qui doivent satisfaire aux conditions de la loi pour être considérés comme tels.

Le CELI au décès

Au décès, l'actif détenu dans le CELI pourra être transféré au conjoint survivant, libre d'impôt. Le conjoint de fait héritera uniquement s'il y a un legs en sa faveur dans le testament ou une désignation de bénéficiaire d'un produit d'assurance ou une rente. Contrairement à certaines provinces canadiennes, dont l'Ontario, il n'est pas possible au Québec de faire une désignation de bénéficiaire de produits autres que des produits d'assurance ou des rentes à termes fixes, vendues par certaines institutions financières, ce qui exclut les produits vendus par les banques à charte. Attention aux formulaires qui n'ont pas été adaptés pour le Québec.

S'il n'y a pas de conjoint survivant, l'actif du CELI sera versé, libre d'impôt, à la succession ou au bénéficiaire, comme un capital. Par contre, le CELI aura cessé d'exister et les revenus seront imposables dans l'avenir, sauf si la personne qui reçoit le montant a suffisamment de droits inutilisés pour l'investir en tout ou en partie dans son propre CELI.

Certificat de décharge

Lorsque toutes les déclarations de revenus ont été produites et que les impôts ont été payés, le liquidateur doit obtenir un « certificat de décharge » avant de distribuer les biens aux héritiers. Ce certificat confirme que les autorités fiscales sont satisfaites et que toutes les dettes d'impôt du décédé ont été payées. Il peut être obtenu en remplissant le formulaire TX 19 *Demande d'un certificat de décharge* (www.cra-arc.gc.ca/F/pbg/tf/tx19/). Au Québec, il faut utiliser le formulaire MR-14.A *Avis de distribution des biens dans les cas d'une succession* (www.revenu.gouv.qc.ca/fr/sepf/ formulaires/mr/mr-14_a.aspx). Ces formulaires sont envoyés aux autorités fiscales après avoir reçu tous les avis de cotisation et payé l'impôt ou lorsqu'un cautionnement acceptable a été fourni.

Le liquidateur qui distribue les biens de la personne décédée avant d'avoir obtenu un certificat de décharge devient personnellement responsable des dettes du défunt, comme si elles étaient les siennes propres.

La société d'assurance automobile du Québec (SAAQ)

Michel a été victime d'un accident d'automobile. Les dommages corporels qu'il a subis seront indemnisés par la SAAQ en vertu de la *Loi sur l'assurance automobile*. Il recevra une indemnité de remplacement de revenu, sous la forme d'une rente versée tous les 14 jours, en raison du fait qu'il ne peut pas travailler à la suite de cet accident. Ces sommes sont payables à Michel. C'est donc la personne désignée par le mandat en prévision de l'inaptitude qui recevra et administrera ces sommes. Lina pourrait se retrouver sans ressources ou obligée d'intenter un recours pour subvenir aux besoins de ses enfants si elle n'est pas un des mandataires désignés en vertu du mandat.

Michel pourra aussi avoir droit à une indemnité pour le préjudice corporel grave et prolongé qu'il aura subi lors de l'accident. S'il décède, sa conjointe et ses enfants auront aussi droit à des indemnités calculées selon des barèmes établis par la loi.

Qui est la « conjointe » au sens de cette loi ? Lina ou Sabrina ?

La « conjointe » est la personne qui est liée par un mariage ou une union civile à la victime, qui **cohabite avec elle** ou vit maritalement avec elle, qu'elle soit de sexe différent ou de même sexe, et qui est publiquement représentée comme sa conjointe depuis **au moins trois ans** ou, dans les cas suivants, **depuis au moins un an** :

• un enfant est né ou à naître de leur union ;

• elles ont conjointement adopté un enfant ;

• l'une d'elles a adopté un enfant de l'autre.

Pour avoir droit aux indemnités, il faut être considéré comme une personne à charge. Les personnes à charge sont la conjointe et les enfants mineurs de Michel. Sabrina pourrait prétendre au statut de conjointe étant donné qu'elle est toujours mariée avec lui. Pour être considérée comme une personne à charge, le conjoint séparé de fait doit avoir le droit de recevoir une pension alimentaire de la victime en vertu d'un jugement ou d'une convention. Comme Sabrina n'a jamais demandé ni reçu de pension alimentaire, elle n'est pas considérée comme une personne à charge et ne recevra donc pas d'indemnité.

La Commission de la santé et de la sécurité du travail (CSST)

Dans l'hypothèse où Michel aurait subi un accident de travail au lieu d'un accident d'automobile ou s'il avait été victime d'un acte criminel, il serait indemnisé en vertu de la *Loi sur les accidents de travail et les maladies professionnelles (LATMP)*. Cette loi prévoit des indemnités qui sont payables au conjoint, en cas de décès.

Pour être reconnu comme le conjoint, il faut, **à la date du décès** :
- être lié par un mariage ou une union civile au travailleur **et** cohabiter avec lui ;

- vivre maritalement avec le travailleur, que la personne soit de sexe différent ou de même sexe, **et** résider avec lui depuis **au moins trois ans** ou **depuis un an, si un enfant est né ou à naître de leur union et** être publiquement représenté comme son conjoint.

Lina ne se qualifierait donc pas pour recevoir l'indemnité de décès, car elle ne résidait pas avec Michel au moment du décès. Par contre, sans mandat en prévision de l'inaptitude qui la désigne à cette fin, elle ne pourra pas administrer les prestations payables à Michel pendant sa période d'incapacité, à moins d'être nommée par le conseil de famille.

Les victimes d'actes criminels

La CSST administre les indemnités payables aux victimes d'actes criminels en vertu de la *Loi sur l'indemnisation des victimes d'actes criminels (IVAC)*. Les personnes à charge, susceptibles de recevoir des indemnités, sont les mêmes que celles qui sont désignées en vertu de la *Loi sur les accidents de travail et les maladies professionnelles (LATMP)*.

Autant de lois, autant de définitions de «conjoint de fait»

Nous pourrions élaborer ainsi sur toutes les lois qui donnent des droits à un conjoint de fait. Ce serait un travail de moine et le résultat démontrerait que chaque situation doit être analysée individuellement. Consultez l'annexe 2 pour avoir la liste des lois accordant des droits aux conjoints.

Maintenant, il est clair que, si ce n'était des lois fiscales, les conjoints de fait auraient peu de place dans notre société.

Alors, croyez-vous encore à la légende urbaine selon laquelle trois ans de vie commune équivalent à un mariage? Qu'en pense Lina qui, pour sa part, compte 12 ans de vie commune et 2 enfants? Ne trouvez-vous pas qu'elle n'a guère plus de droits qu'une étrangère célibataire?

CHAPITRE 21
Passer à l'acte : vivre d'amour et parler d'argent

Même si cette affirmation peut sembler contradictoire, elle augmente les chances de succès d'un couple. Quand deux personnes pensent sérieusement à fonder un couple ou une famille, il est préférable d'enlever ses lunettes roses pendant un moment et de regarder les choses de façon pragmatique.

Dans ce chapitre, les mêmes réflexions s'appliquent, que l'on soit des conjoints mariés, unis civilement ou des conjoints de fait. Il faut faire ses devoirs, même si l'exercice paraît fastidieux.

Le bilan financier et l'inventaire des biens

Toute saine planification financière, pour une personne seule ou pour un couple, commence avec un bilan. Il s'agit de faire le portrait de sa situation financière en dressant la liste des actifs, moins le passif. C'est un bon début. Même s'il y a plus de dettes que d'actifs, faire ce portrait au  moins une fois par année permet de savoir où nous en sommes et s'il y a lieu de prendre des moyens pour redresser la situation.

Au moment d'emménager ensemble, Michel et Lina présentaient les bilans financiers respectifs suivants :

Bilan financier de Lina			
Actif		Passif	
Liquidités	22 000		
Automobile	19 000		
Meubles	20 000		
Équipement de bureau	12 000		
REER	28 000		
CRI	16 000		
Valeur nette	117 000		

Bilan financier de Michel

Actif		Passif	
Liquidités	2 000	Marge de crédit	35 000
Automobile	1 000	Prêts pour études	20 000
	3 000		
			(55 000)
Déficit			(52 000)

Si cet exercice avait été fait avant d'entreprendre la vie commune, peut-être Lina aurait-elle insisté un peu plus pour faire rédiger des papiers en bonne et due forme.

Douze ans plus tard, le bilan de leur situation pourrait s'établir comme suit :

Bilan financier de Lina

Actif		Passif	
Résidence	150 000		125 000
Meubles	20 000		
Équipement	15 000		
REER	32 000	Marge REER	6 000
CRI	22 000		
	239 000		(131 000)
Valeur nette	108 000		

Bilan financier de Michel			
Actif		Passif	
Résidence	150 000	Hypothèque	125 000*
Meubles	35 000		
Automobile		Location	25 000*
REER	10 000		
CRI		VISA	5 000
	195 000		(155 000)
Valeur nette	40 000		

Lina et Michel sont également responsables de la totalité de ces dettes, qui peuvent être réclamées à l'un ou à l'autre, indistinctement.

Au premier coup d'œil, la situation financière de Lina paraît meilleure que celle de Michel. Il faut tenir compte du fait que des valeurs importantes, comme le Régime de retraite (RPA) de Michel, ne sont pas représentées dans ce tableau. Cependant, force est de constater que les mouvements de trésorerie positifs ne sont pas en faveur de Lina. Elle est plus pauvre qu'elle ne l'était au début de la relation.

Au moment de commencer la vie commune, il est important de répartir les charges domestiques entre les conjoints. Qui défraie l'hypothèque et les autres dettes ? Les coûts d'entretien de la résidence et les réparations importantes ? Les assurances feu et vol, le câble, le branchement Internet et le téléphone ? Qui paie l'épicerie et les sorties au restaurant ? Comment subvient-on aux besoins des enfants ? Dans quelle proportion partage-t-on les factures ? A-t-on les moyens de s'offrir des loisirs et des voyages ? Comment prend-on nos vacances ? Est-ce que l'un des conjoints a des moyens plus importants que l'autre ? Est-ce que celui qui a un revenu plus faible devra s'endetter pour profiter du même train de vie? Toutes ces questions méritent qu'on y réponde et qu'on en discute avant de mettre son conjoint devant le fait accompli.

Certains organismes communautaires, comme les associations coopératives d'économie familiale (ACEF), offrent des services spécialisés de consultation et d'aide budgétaire. Il est possible de se renseigner sur ces questions en visitant leur site Internet respectif à partir de celui de l'ACEF: www.acefrsq.com/int/serv_aide.html.

La stratégie des colocataires ou le 50/50

Doit-on payer chacun la moitié des dépenses domestiques ou en fonction de ses revenus?

Il n'est pas recommandé de tout mettre en commun dans un compte de banque conjoint. Il est préférable, pour chaque conjoint, d'avoir son propre compte bancaire. Le compte conjoint peut être utilisé pour effectuer les paiements communs. Il ne faut pas oublier qu'en cas de décès, le compte conjoint, même celui des gens mariés, sera gelé jusqu'au règlement complet de la succession. Il vaut mieux avoir un outil de rechange à sa disposition.

Les dépenses de la famille devraient faire l'objet d'un consensus dans le couple et être révisées régulièrement. Le contrat de vie commune peut comporter les grandes lignes de la répartition, mais les termes doivent laisser assez d'espace pour réaménager les choses, en fonction des événements de la vie, comme la perte d'un emploi ou la naissance d'un enfant.

La convention d'union de fait ou le contrat de vie commune

Comme nous avons pu le constater dans les chapitres précédents, les lois et les règlements au Québec n'accordent que très peu de droits aux conjoints de fait. Heureusement, il est possible de pallier ces lacunes en rédigeant une «convention d'union de fait », aussi appelée « contrat de vie commune ». Elle remplace le *Code civil du Québec* qui reste muet sur les questions touchant les unions de fait.

La convention devient la loi des conjoints. Elle est utile pendant la période de cohabitation lorsqu'il est temps de prendre des décisions financières importantes. C'est aussi cette convention qui servira de guide pour partager les biens en cas de décès prématuré ou de rupture. Il est préférable de la négocier quand les relations sont positives et harmonieuses.

Lorsque survient une rupture, les relations entre les ex-conjoints deviennent tendues. Même avec la meilleure volonté du monde, il est difficile de gérer ses émotions, surtout pendant les moments de colère et de frustration. Cela vient grandement perturber le jugement et compliquer les choses lors du partage des biens acquis pendant l'union.

Une convention d'union de fait permet de faciliter le partage des biens lors de la séparation et d'éviter, par le fait même, qu'une des deux parties soit lésée par un partage inéquitable ou qu'elle considère comme inéquitable.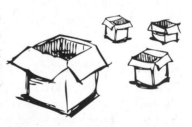

Tant et aussi longtemps que les clauses de la convention ne contreviennent pas aux lois et règlements en vigueur ainsi qu'aux « bonnes mœurs[28] », vous pouvez y inclure toutes les clauses qui conviennent à votre situation en particulier. Rien ne vous y oblige, mais il serait préférable de demander à un notaire ou à un avocat, qui pourra vous conseiller sur les clauses qui vous conviennent le mieux, de rédiger cette convention.

---

28. Par exemple, serait contraire aux bonnes mœurs une clause qui stipulerait que le paiement d'une pension alimentaire est conditionnel à la renonciation du droit de garde des enfants.

Bien qu'il n'y ait pas de règle définie, une convention d'union de fait pourrait, notamment, comprendre les éléments suivants :

Clause de résidence familiale

Premièrement, il serait opportun d'établir qui aura la possession, un droit d'habitation ou encore la propriété de la résidence familiale en cas de rupture. Par exemple, il est pertinent d'établir un droit de rachat ou d'usage et d'habitation pour le conjoint qui aura la garde des enfants pendant une période déterminée ou déterminable.

Il faut noter que l'article 410 du *Code civil du Québec*, qui accorde un droit d'usage de la résidence familiale à l'époux ou au conjoint uni civilement qui a la garde des enfants, ne s'applique pas aux conjoints de fait. Malgré tout, les tribunaux ont tendance à accorder un tel droit d'usage au conjoint gardien des enfants. Leur raisonnement s'inspire en effet du principe que toutes les décisions concernant les enfants doivent être prises dans leur plus grand intérêt et dans le respect de leurs droits.

Clause d'administration des biens durant l'union de fait

Deuxièmement, il est recommandé d'établir comment et par qui seront effectuées l'administration et la disposition des biens durant l'union. Par exemple, les conjoints pourraient établir une clause indiquant que, pour vendre certains biens de grande valeur, il faut le consentement des deux conjoints.

Les dépenses courantes

Pour ce qui est de l'administration des biens, il est toujours préférable d'établir qui s'occupe des dépenses courantes et de s'assurer que le conjoint déterminé possède tous les outils nécessaires pour s'acquitter de cette tâche. Cela comprend l'ouverture d'un compte conjoint et les procurations bancaires. La clause à cet effet devrait être rédigée en termes spécifiques (« M. aura la responsabilité de payer les dépenses d'entretien de la maison, telles que les réparations, l'électricité, le téléphone et les taxes municipales. Mme, quant à elle, payera l'épicerie, les frais reliés aux enfants ainsi que le câble, l'Internet, etc. ») ou, en termes plus généraux (« Chacun des conjoints devra participer aux charges du ménage en parts égales ou en proportion de ses capacités et moyens. ») Ces clauses sont nécessaires et permettent d'éviter bien des malentendus. Elles sont la continuité de l'exercice précédent qui consiste à faire un inventaire, un bilan et un budget.

Il faut garder à l'esprit que le compte conjoint est automatiquement gelé en cas de décès. De plus, sauf si la signature des deux est requise, chacun des conjoints peut y accéder et vider le compte sans autre formalité. Il est donc nécessaire d'avoir prévu une solution de rechange pour que l'un ou l'autre des conjoints n'ait pas de problème. Par exemple, il n'est pas recommandé de faire verser le salaire dans le compte conjoint. Mieux vaut faire des transferts vers ce compte depuis un compte personnel.

En cas d'inaptitude prolongée, il est préférable d'avoir une procuration pour assurer l'intérim en attendant que le mandat en prévision de l'inaptitude soit homologué.

Clause de partage des biens – créer son propre patrimoine familial et régime matrimonial

Troisièmement, il faut prévoir les modalités de partage des biens meubles et immeubles advenant une rupture. Afin de bien s'acquitter de cette tâche, il est recommandé aux couples de dresser un inventaire complet des biens acquis avant et au moment de l'union en spécifiant à qui ils appartiennent (bilan financier et inventaire).

Une clause de partage des biens du couple est primordiale, car il n'est pas rare que, durant l'union, un déséquilibre important se dessine entre les acquis des conjoints. Souvent, l'un des conjoints paie la majorité des dépenses courantes, alors que l'autre acquiert les biens de valeur, tels que les meubles, les résidences, les voitures, sans oublier les placements et les REER. Puisque les règles du partage du patrimoine familial ne s'appliquent pas aux couples non mariés et que le partage des biens se fera en fonction des preuves de propriété et des titres, le partage des biens risque d'être inéquitable en cas de rupture.

Pour éviter ce genre de déséquilibre, les conjoints devraient prévoir une clause qui peut s'inspirer des règles de partage du patrimoine familial. Par exemple, la clause pourrait prévoir qu'advenant une rupture, tous les biens servant à l'usage de la famille, soit la résidence principale, les résidences secondaires, les meubles dont sont pourvues ces résidences, les voitures, les fonds de pension et les REER accumulés durant l'union seront partagés en parts égales entre les conjoints.

Clause de donation entre vifs

Quatrièmement, comme les époux le font parfois dans leur contrat de mariage, il serait possible de prévoir, dans cette convention, certaines donations entre vifs. Toutefois, pour être effective, une donation doit respecter certaines conditions prévues par la loi. Il faut donc consulter un juriste pour s'assurer de la validité du scénario à mettre en place.

Testament

Le *Code civil* ne reconnaît pas les donations pour cause de mort entre conjoints de fait. Il serait donc primordial que les couples non mariés s'assurent de posséder un testament comportant des legs particuliers en faveur du conjoint de fait survivant. Par exemple, il serait important que chacun des conjoints lègue à l'autre ses parts dans la résidence familiale et sur les biens meublant cette résidence.

Fait important, les legs testamentaires en faveur d'un conjoint non marié ne seront pas automatiquement annulés du seul fait que le couple s'est séparé. Il ne faudra donc pas oublier de faire modifier son testament à la suite d'une rupture.

Rappelons encore une fois que les couples non mariés ne possèdent aucun droit sur la succession de leur conjoint. Alors, si vous voulez que votre conjoint hérite de vos avoirs, vous devez le prévoir dans votre testament.

Clause de pension alimentaire entre conjoints

Dans l'éventualité où l'un des deux conjoints aurait délaissé sa carrière afin de s'occuper de l'éducation des enfants, il pourrait être opportun de prévoir une pension alimentaire pour ce dernier ou une forme de dédommagement quelconque en cas de rupture. En effet, il n'est pas facile pour une personne de réintégrer le marché du travail si elle n'y a pas évolué pendant plus de 10 ans. Il faudra prévoir une période de réinsertion ou de retour aux études pour permettre à ce conjoint d'acquérir son autonomie financière.

Clause d'assurance vie

Toute bonne planification financière doit comporter un volet d'assurance vie, invalidité et maladies graves. Lors d'un décès, plusieurs dépenses importantes surviennent, telles que les frais funéraires, qui coûtent souvent au-delà de 15 000 $. Les impôts payables au décès doivent aussi être acquittés. Il faut évaluer les moyens du conjoint survivant pour assurer, dans le meilleur intérêt des enfants, l'entretien de la famille à la suite du décès de l'autre conjoint.

Il faut le reconnaître, le conjoint qui cesse de travailler ou qui diminue son temps de travail rémunéré pour s'occuper de la famille a, lui aussi, une valeur économique importante. S'il décédait prématurément ou s'il tombait gravement malade, le coût de remplacement du travail qu'il effectuait à la maison pourrait devenir un poste assez onéreux dans le budget du survivant, et ce, sans compter le stress et les tâches supplémentaires qu'il aurait à assumer. Cela pourrait bien mettre un frein au développement de sa propre carrière. Une assurance temporaire sur la vie et la santé de ce conjoint constitue très souvent la solution idéale et la plus économique.

Les couples, avec ou sans enfant, devraient se doter d'un minimum d'assurance vie et d'assurance maladie grave pour couvrir les frais et payer les dettes. Un montant suffisant pour remplacer le revenu perdu et subvenir aux besoins des enfants jusqu'à qu'ils aient atteint leur autonomie financière devrait également être prévu.

La convention de vie commune devrait donc contenir une clause indiquant que chacun des conjoints s'engage, même en cas de rupture, à maintenir une couverture d'assurance vie et d'assurance maladie grave suffisante pour subvenir aux besoins des enfants jusqu'à ce que ces derniers atteignent leur autonomie financière ou jusqu'à l'âge de 25 ans, par exemple.

Il ne faut pas oublier que, pour permettre aux conjoints de fait d'avoir droit au bénéfice d'une police d'assurance, une désignation de bénéficiaire doit avoir été faite en leur faveur. Cette désignation peut être faite dans le contrat d'assurance lui-même ou par testament. Les conjoints de fait ne font pas partie de la catégorie «héritiers légaux» ou «ayants droit», à moins d'être désignés comme tels dans un testament valide.

De plus, pour bénéficier, du vivant, de l'insaisissabilité par les créanciers de la police d'assurance, la désignation de bénéficiaire doit être faite de façon irrévocable en faveur du conjoint de fait. Pour les couples mariés, sauf indication contraire, une désignation de bénéficiaire en faveur du conjoint sera irrévocable. Pour les couples non mariés, c'est le contraire; la désignation de bénéficiaire sera révocable, sauf si le titulaire de la police mentionne expressément qu'elle est faite de façon irrévocable.

Les désignations de bénéficiaire entre conjoints de fait ne vont pas s'annuler automatiquement à la suite d'une entente de séparation. Il faut les faire changer auprès de l'assureur. Si une désignation est faite à titre irrévocable, le consentement écrit du bénéficiaire est nécessaire pour la changer. Il est donc important que la convention d'union de fait prévoie une clause stipulant qu'en cas de rupture, les conjoints acceptent mutuellement de signer un renoncement à la désignation irrévocable de toute police d'assurance vie, sauf celles qui sont prévues pour subvenir aux besoins des enfants jusqu'à ce qu'ils aient atteint leur autonomie financière.

La convention peut aussi prévoir des situations où la désignation de bénéficiaire irrévocable sera annulée.

Clause de médiation obligatoire

Tout le monde sait que les recours en justice représentent toujours un processus long et coûteux. La médiation est donc un outil intéressant qui permet, dans bien des cas, d'économiser un temps précieux et, surtout, beaucoup d'argent.

La médiation est un processus de règlement des différends par lequel les couples, avant d'intenter un recours en justice, choisissent de négocier, avec l'aide de leur avocat respectif et d'un médiateur, une entente qui réglera l'ensemble de la convention de rupture. Cette convention pourra alors être homologuée par le tribunal compétent au moyen d'une procédure particulière, généralement plus rapide.

Pour toutes ces raisons et bien d'autres encore, les conjoints de fait ont intérêt à inclure, dans leur convention de vie commune, une clause à l'effet qu'en cas de rupture, les deux parties s'engagent en premier lieu à recourir à un processus de médiation.

Sur cette question, nous vous renvoyons au site Internet de Justice Québec : www.justice.gouv.qc.ca, où vous trouverez des services de médiation gratuits accessibles aux conjoints de fait. De fait, la médiation est obligatoire pour régler les questions touchant la garde et le soutien financier aux enfants.

Ces éléments ne sont donnés qu'à titre indicatif. Il est possible qu'une convention prévoie beaucoup plus ou beaucoup moins de clauses.

Ce qui importe, c'est que la convention réponde aux besoins spécifiques du couple. Il est important de noter que ces conventions ne sont pas statiques ; elles peuvent évoluer avec le couple au gré des événements de la vie. Il sera donc possible d'y apporter tout changement jugé opportun, à la seule condition que les deux y consentent.

Finalement, si, au moment de la rupture, l'un des deux conjoints refusait de respecter ses obligations contractuelles, l'autre pourra toujours s'adresser aux tribunaux compétents afin de faire exécuter le contrat.

Il existe plusieurs sites Internet qui donnent de l'information sur la façon de rédiger une convention d'union de fait. En voici quelques-uns :

www.mamanpourlavie.com/couple-sexualite/vie-quotidienne/3010-la-convention-dunion-de-fait.html

www.lebelage.ca/argent_et_droits/vos_droits/union_de_fait__le_contrat.php.

Le gouvernement du Québec offre aussi de l'information sur le site suivant : www.justice.gouv.qc.ca/francais/publications/generale/union.htm

Publications du Québec propose, à un prix très abordable, un modèle de contrat de vie commune à l'intention des conjoints de fait. La prudence est de mise. Il est préférable d'investir quelques centaines de dollars pour consulter un juriste et être certain d'avoir un document personnalisé qui répond à nos objectifs.

Obtenir les conseils d'un professionnel compétent – notaire, avocat ou planificateur financier – demeure la voie la plus sage pour rédiger un contrat de vie commune sur mesure. L'investissement de quelques centaine de dollars constitue certainement un bon placement pour l'avenir.

Le mandat en prévision de l'inaptitude

Le mandat en prévision de l'inaptitude est un outil nécessaire pour faire respecter ses volontés non seulement en ce qui concerne les soins de santé, mais aussi l'administration des biens en cas d'incapacité temporaire, prolongée ou permanente. C'est un document officiel qui devrait être rédigé avec l'aide d'un notaire ou d'un avocat[29]. À défaut, il peut être élaboré par l'individu lui-même et signé devant deux témoins. Pour être en vigueur, le mandat doit être homologué par le tribunal, c'est-à-dire qu'un juge, sur demande de la personne qui a été désignée comme mandataire, devra déclarer que le mandant est inapte et que le mandat est valide et exécutoire.

Lorsqu'il est fait par un notaire, le mandat est un acte authentique qui pourra être homologué plus rapidement. Il sera conservé en lieu sûr, à l'abri du feu, du vol, du vandalisme. Conséquemment, il sera plus facile de le retracer. De plus, le notaire a le devoir de s'assurer et d'attester que, lors de la signature du mandat, le mandant avait la capacité juridique de le faire.

Le mandant nomme un proche de confiance afin que ce dernier s'occupe de sa personne et de ses biens dans l'éventualité où il deviendrait incapable de le faire lui-même à la suite d'un grave accident ou d'une maladie débilitante.

L'avantage d'un tel mandat résulte principalement du fait qu'il permet à nos proches d'éviter de devoir passer par le processus complexe de l'ouverture d'un régime de protection, lequel demande beaucoup de temps et est souvent une source de dispute et de désagrément.

Le mandat peut prévoir plusieurs mandataires. Dans ce cas, tous ceux qui ont été désignés peuvent prendre les décisions ensemble ou certains peuvent être désignés à des fins déterminées. Ainsi, on peut avoir un mandataire pour la personne qui prendra les décisions d'ordre médical afin de lui assurer santé et bien-être. Le mandant sera-t-il hospitalisé ou demeurera-t-il chez lui? Quel type de soins va-t-il recevoir? A-t-il donné des instructions à ce sujet?

Une personne désignée comme mandataire n'est pas obligée d'accepter cette responsabilité. Il serait bon de prévoir deux ou

---

29. Lorsqu'il est rédigé par un juriste, le mandat en prévision de l'inaptitude est consigné au Registre des dispositions testamentaires et des mandats du Québec (www.rdtmq.org).

trois substituts au cas où notre premier choix refuserait ou serait dans l'impossibilité de remplir ses responsabilités. En fait, les conjoints sont susceptibles de se retrouver en même temps dans une situation d'incapacité, par exemple lors d'un accident de la route. Il faut donc prévoir un plan B.

Un mandat général donne beaucoup de pouvoir au mandataire et certains peuvent parfois en abuser. Certaines mesures devraient donc être prises pour éviter cette situation. Par exemple, les pouvoirs du mandataire peuvent être limités à la simple administration; le mandant pourrait aussi prévoir que, pour tout acte important, le mandataire doit obtenir l'approbation d'un tiers qu'il désigne. Finalement, le mandant peut aussi nommer trois mandataires ou plus et exiger que les décisions soient prises à la majorité. Il s'agit d'autant de façons de s'assurer que la gestion de nos biens soit faite dans notre meilleur intérêt et celui de nos proches.

La personne qui aura la responsabilité de consentir aux soins de santé devrait avoir été informée par le mandant de sa vision en la matière. Est-il en faveur des dons ou greffes d'organes? Qu'en est-il de l'acharnement thérapeutique? En cas d'arrêt cardiaque, veut-il ou non être réanimé?

Le mandat prend fin quand le juge déclare que le mandant est redevenu apte ou lorsque ce dernier décède. Dans le premier cas, la personne recommencera à s'occuper de ses biens. Si le mandat se termine par le décès, c'est le liquidateur de la succession qui prendra la relève.

Le simple mandat ou procuration

Il ne faut pas confondre procuration et mandat en cas d'inaptitude. Contrairement à un mandat en prévision de l'inaptitude, qui doit être homologué pour être en vigueur, la procuration prend effet dès sa signature. La procuration ne fait pas perdre au mandant l'exercice de ses droits. Il peut donc continuer à agir comme avant. La procuration ne fait que permettre à un tiers de poser des actes qui sont généralement réservés au mandant personnellement.

La procuration peut être spécifique, comme une procuration bancaire, ou générale, pour toutes les affaires du mandant.

Comme son nom l'indique, le mandat en prévision de l'inaptitude est une mesure de protection permettant la bonne gestion de nos biens et de notre personne advenant une incapacité. Il est généralement permanent.

La procuration est souvent consentie pour une durée déterminée, comme à l'occasion d'un voyage ou d'un traitement thérapeutique, et vise à permettre la bonne gestion des affaires courantes. Elle peut être révoquée en tout temps.

Le mandat en prévision de l'inaptitude implique une période d'attente, entre le moment où la personne devient inapte et celui où le mandat est homologué. Cette période peut être plus ou moins longue, selon le district judiciaire où habite le mandant. Durant l'intérim, les époux peuvent exercer les droits de leur conjoint, au nom du principe du mandat domestique, qui n'a pas besoin d'être officiel.

Il en est tout autrement des conjoints de fait qui, eux, n'ont pas ces droits. En plus du mandat en prévision de l'inaptitude, les conjoints de fait devraient aussi avoir un *simple mandat ou une procuration restreinte*, à tout le moins aux actes de l'administration quotidienne (payer les factures, accéder aux comptes bancaires, parler aux assureurs, etc.). Le simple mandat permet de pallier les incapacités de courte durée ne nécessitant pas l'ouverture du mandat en prévision de l'inaptitude ou de régler les questions urgentes en attendant que le mandat en prévision de l'inaptitude soit homologué. Dans l'hypothèse où il ne serait pas homologué et qu'il faudrait recourir au conseil de famille ou au curateur public, ce simple mandat pourrait demeurer en vigueur pour assurer l'intérim.

Le testament biologique ou consentement au don d'organes

Le testament biologique donne des indications sur les soins qu'une personne désire ou non recevoir, particulièrement lorsqu'elle est en phase terminale et incapable de donner elle-même des instructions, et sur sa volonté de faire des dons d'organes. Ce n'est pas un document officiel et il n'a aucune valeur légale, sauf en ce qui concerne les dons d'organes. La personne qui le rédige y indique ses volontés quant à la nature et à la limite des soins qu'elle entend recevoir. Ces volontés peuvent ou non être suivies, la décision revenant au mandataire et, en dernier ressort, au médecin traitant.

Le testament biologique n'a du testament que le nom. Il ne doit surtout pas faire partie d'un testament, qui ne prend effet qu'après le décès. Il peut ou non être inclus dans le mandat en prévision de l'inaptitude. Lorsque ce document est fait chez un notaire, il est inscrit au *Registre des consentements au don d'organes et de tissus*. Ce registre a été créé le 1er novembre 2005. Pour plus de détails, consultez www.cdnq.org/fr/testamentMandat/donOrganes/.

Le testament valide

Pour être valide, le testament doit répondre, selon le *Code civil du Québec*, à l'une des trois formes ci-après décrites. Une fois son choix arrêté, le testateur doit respecter la forme qu'il a choisie, sinon le testament risque d'être déclaré nul. Les tribunaux ont toutefois tendance à être assez souples. Cela ne signifie pas que tous les testaments rédigés à l'aide des nouvelles technologies, la vidéo et les disquettes informatiques, seront reconnus comme valides.

Quand ils ont à interpréter un testament, les juges s'appliquent à rechercher l'intention du testateur. Il est certain que plus les volontés sont clairement énoncées, plus il est facile, pour ceux qui ont à les interpréter, de les respecter.

Le testament notarié

C'est le testament le plus facile à prouver et le plus difficile à contester. Il s'agit d'un testament reçu par le notaire, qui le déposera au rang de ses minutes. Il porte sa signature et celles du testateur et d'un autre notaire qui agit comme témoin.

Le notaire vérifie l'identité de celui qui dicte le testament, il certifie qu'il est sain d'esprit et qu'il comprend la nature et les conséquences de ce qu'il est en train de faire. Il reçoit la signature du testateur et atteste qu'il l'a bien vu signer le document. Après le décès, le testament notarié n'a pas besoin d'être vérifié par un juge pour être exécutoire. Il suffit de faire une recherche testamentaire et de s'assurer qu'il s'agit bel et bien du dernier testament.

Un acte notarié « en minutes » porte un numéro unique, qui est consigné dans le greffe du notaire. Une fois inscrit, ce document ne peut être changé ou altéré autrement qu'en en faisant un nouveau ou en procédant à un ajout au testament existant, appelé « codicille ». Les testaments sont enregistrés au Registre de la Chambre des notaires et au Registre des dispositions testamentaires et des mandats du Québec (www.cdnq.org/rdtmq). Il est, dès lors, beaucoup plus facile de les retrouver.

Depuis septembre 2003, la Chambre des notaires et le Barreau du Québec ont créé un guichet unique pour la recherche des dispositions testamentaires et des mandats. Il s'agit du Registre des dispositions testamentaires et des mandats du Québec : www.rdtmq.org.

Le testament devant témoins

Ces testaments ont aussi été connus sous le nom de « testament sous seing privé ». Le caractère essentiel d'un testament devant témoins a la particularité d'être signé, à la fin, par le testateur et deux témoins qui attestent l'avoir vu signer. Les témoins doivent être majeurs. Il peut arriver que le testateur ne puisse pas signer lui-même le document. Le testament pourrait quand même être valide, mais les circonstances ne doivent laisser aucun doute sur le fait qu'il s'agit bien de ses dernières volontés.

Cette forme de testament est souvent rédigée par des avocats. Même si la forme notariée est habituellement privilégiée par les juristes, les avocats ont aussi un Registre des testaments et mandats en prévision de l'inaptitude où ils enregistrent les documents qu'ils rédigent. Il ne s'agit pas de documents authentiques, ils doivent donc être vérifiés par le tribunal pour être valides.

Pour obtenir de plus amples renseignements sur le Registre des testaments et mandats en prévision de l'inaptitude du Barreau du Québec, consultez le www.barreau.qc.ca/avocats/praticien/manuels/testaments/index.html.

Il arrive aussi que des gens fassent eux-mêmes un testament et qu'ils utilisent un moyen mécanique, comme un ordinateur, pour l'écrire. Ce document peut être valable à condition qu'il soit signé par le testateur en présence de deux témoins. Il est toutefois plus difficile de le prouver ou de le retrouver, puisqu'il n'est pas enregistré. Ce document doit être conservé en lieu sûr, comme dans un coffret à la banque. Il est important d'indiquer à ses proches où il peut être trouvé.

Le testament olographe[30]

Cette forme prévoit que le testament **doit être écrit en entier de la main du testateur.** Autrefois, le manquement à cette condition était fatal et le document était considéré sans valeur. Cependant, avec l'arrivée de certains moyens mécaniques, les tribunaux ont eu tendance à assouplir un peu les règles, mais il y en a une qui demeure obligatoire : le document doit être signé par le testateur et la signature doit être apposée à un endroit qui indique qu'il s'agit bien de ses volontés. Il faut aussi pouvoir authentifier qu'il s'agit bien du dernier testament. Il devrait donc porter une date.

Un testament, sauvegardé sur une disquette informatique sur laquelle la testatrice avait apposé sa signature avec la date, a été

---

30. Le mot olographe signifie « en entier ».

accepté par le tribunal parce qu'il ne faisait aucun doute qu'il s'agissait là de ses dernières volontés. Attention, un tel procédé ne respecte pas les critères très précis de la loi; un autre juge aurait pu le refuser.

Il est toujours préférable de simplifier les choses en suivant les règles s'il nous tient à cœur de voir nos volontés respectées, particulièrement quand notre famille proche ou plus éloignée est du genre à revendiquer. Les procès les plus complexes naissent souvent d'une succession mal orchestrée.

Le testament devant témoins et le testament olographe doivent absolument être vérifiés par le tribunal pour donner des droits aux héritiers. Le liquidateur de la succession s'acquitte normalement de cette tâche.

Lina regrette amèrement de ne pas avoir suivi les conseils de ses parents et amis et, surtout, ceux de son planificateur financier qui lui avait fait part de tous les problèmes possibles liés à sa situation. Elle s'est laissé convaincre par Michel que leur situation était simple et que la dépense était injustifiée. Elle croit encore l'entendre: «Depuis le temps que nous vivons ensemble, c'est comme si nous étions mariés. Les papiers, ça ne vaut rien. On s'aime, on se fait confiance. De toute façon, notre seul actif réel, c'est la maison et nous sommes copropriétaires...» Telle était sa chanson. Lina n'est plus certaine de l'apprécier autant aujourd'hui.

CHAPITRE 22
La rupture : quand cesse-t-on d'être conjoints de fait ?

Encore une fois, c'est une question de loi. En ce qui concerne le *Code civil du Québec*, il n'existe à peu près pas de circonstances où le statut de conjoint de fait est reconnu. Ce qui n'est pas reconnu ne peut donc pas se terminer.

En ce qui concerne les autres lois, la fin de la vie commune dans une relation matrimoniale marque habituellement la fin de l'union de fait.

La *Loi sur l'impôt sur le revenu* et la *Loi sur les impôts* donnent un délai précis pour que cesse le statut de conjoints de fait. La cohabitation doit avoir cessé depuis au moins 90 jours consécutifs, sans reprise de la vie commune. Dès que la séparation est consommée, il est nécessaire de faire parvenir les avis requis aux autorités fiscales, tel que nous l'avons vu au chapitre 9.

Les enfants ont des droits
Même si les parents ne veulent plus faire vie commune, ils continuent à avoir des obligations envers leurs enfants et ces derniers continuent à avoir des droits.

La garde légale des enfants
Si les parents ne s'entendent pas sur les droits de garde légale de leurs enfants, la loi les oblige à assister à une séance d'information sur les services de médiation familiale pour les aider à résoudre leur conflit.

Une fois cette première étape passée, s'il n'y a toujours pas d'entente, il sera possible d'introduire une requête pour garde d'enfants auprès de la Division de la famille de la Cour supérieure du Québec. L'autre parent pourra contester cette requête et faire valoir ses prétentions.

Si les parents en viennent à une entente, négociée entre eux ou avec un médiateur, ils pourront éviter de se présenter en cour pour débattre leurs prétentions. Malgré tout, il est nécessaire de présenter une demande au tribunal pour faire entériner l'entente que les parents auront signée. Au moment de rendre un jugement sur cette entente, le juge devra vérifier qu'elle intervient dans le meilleur intérêt des enfants. S'il n'est pas satisfait, il pourra refuser de l'entériner et renvoyer tout le monde à ses devoirs.

Par exemple, une entente qui comprendrait une clause par laquelle un parent abandonne ses droits en matière d'autorité parentale et d'accès aux enfants, et ce, pour ne pas avoir à payer de pension alimentaire, serait tout à fait inappropriée et certainement pas dans le meilleur intérêt des enfants.

La pension alimentaire pour les enfants

Les enfants ont droit à une pension alimentaire de la part de leurs deux parents. Cette pension est établie en fonction du niveau de vie du couple et de leur capacité respective de payer. Une pension alimentaire est une somme versée périodiquement pour répondre aux besoins essentiels des enfants, comme la nourriture, le logement, le chauffage, les vêtements et l'éducation. Elle peut être fixée pour un enfant de moins de 18 ans ou, à la demande des parents, pour un enfant majeur qui n'est pas en mesure de subvenir à sa propre subsistance pendant qu'il poursuit des études à temps plein.

Les pensions alimentaires pour les enfants sont calculées selon un modèle de fixation qui établit des règles objectives en fonction des besoins des enfants, des revenus gagnés par les deux parents et du temps que chacun consacre à la garde. Le mode de calcul est uniformisé pour tous, en fonction d'un barème préétabli.

Notons que l'Aide aux études est accordée aux étudiants majeurs en tenant compte de l'obligation alimentaire des parents à leur égard. Si c'est l'enfant majeur lui-même qui présente la demande d'aliments, le modèle de fixation ne s'appliquera pas à lui.

Les parents doivent remplir, ensemble ou séparément, le *Formulaire de fixation des pensions alimentaires pour enfants* (SJ-789), lequel peut être téléchargé sur le site Internet à l'adresse www.justice.gouv.qc.ca/francais/formulaires/modele/fortix.htm.

Une fois cet exercice effectué, la pension est fixée à partir des *Tables de fixation de la contribution alimentaire parentale de base*, publiées chaque année. Ces tables sont élaborées en tenant compte de l'estimation des coûts liés aux enfants et du revenu familial. Si l'un des parents vit à l'extérieur du Québec, il faut se référer aux *Lignes directrices fédérales sur les pensions alimentaires pour enfants* afin de fixer la pension. Il est possible de consulter ces lignes directrices sur le site Internet de Justice Canada au www.justice.gc.ca.

Les pensions alimentaires pour les enfants établies après le 30 avril 1997 sont défiscalisées. Cela signifie que le parent qui paie la pension ne peut pas la déduire de son revenu imposable. Pour sa part, le parent qui la reçoit n'a pas à l'inclure dans son revenu non plus.

La pension alimentaire accordée à un enfant peut toujours faire l'objet d'une révision en fonction des changements qui surviennent dans la situation des parents.

La perception des pensions alimentaires est administrée uniformément pour tous par le ministère du Revenu du Québec (MRQ). Le ministère perçoit la pension de la part du débiteur et la verse à la personne qui doit la recevoir. Voici les étapes d'un dossier de perception de pension alimentaire, tel que décrit sur le site Internet du MRQ.

Étapes	Actions entreprises par Revenu Québec
1. Réception du jugement	Nous vérifions qu'il s'agit d'une copie complète du jugement afin que toutes les clauses concernant la pension alimentaire soient respectées.
2. Préparation du dossier	Nous vérifions et mettons à jour les données du dossier.
3. Assignation du dossier	Nous confions le dossier à un membre du personnel, qui doit communiquer avec le débiteur et le créancier dans les jours qui suivent.
4. Établissement du mode de perception	Si le débiteur est salarié, nous expédions un avis de retenue à son employeur pour qu'il prélève directement sur le salaire du débiteur la pension et les arrérages (s'il y a lieu). Si le débiteur n'est pas salarié, nous lui envoyons un ordre de paiement pour qu'il paie la pension courante et les arrérages (s'il y a lieu).
5. Encaissement des sommes reçues	Dans le cas d'un avis de retenue, l'employeur nous transmet l'argent. Dans le cas d'un ordre de paiement, le débiteur nous fait ses paiements directement.
6. Versement de la pension alimentaire	Nous versons au créancier les sommes dues par chèque ou dépôt direct le 1er et le 16e jour de chaque mois.

Source : www.revenu.gouv.qc.ca/fr/citoyen/pens_alim/programme/cheminement/

La pension alimentaire pour le conjoint de fait

Les conjoints de fait n'ont pas d'obligations alimentaires l'un à l'égard de l'autre. Même s'ils s'adressent au tribunal avec les meilleurs arguments au monde, ils n'obtiendront rien, ce droit ne leur étant pas reconnu par le *Code civil du Québec.*

La Cour d'appel du Québec dans la célèbre affaire de « *Lola c. Éric* »[31] a affirmé que les conjoints de fait ont droit à une pension alimentaire pour eux-mêmes lors d'une séparation. Attention de ne pas sauter trop vite aux conclusions ! Rien n'est gagné ! La Cour a déclaré que l'article du *Code civil du Québec* qui limite le droit à une pension alimentaire aux époux et conjoints unis civilement est inconstitutionnel parce qu'il établit une discrimination en raison du statut matrimonial. Il est donc non conforme à la Charte des droits et libertés qui interdit la discrimination basée sur le statut matrimonial. Les juges ont alors indiqué au Procureur général du Québec que cet article allait encore continuer à s'appliquer pour une période de 12 mois, de façon à laisser le temps au gouvernement d'adopter un nouvel article de loi en remplacement. Mais le Procureur général du Québec peut décider autrement et introduire un pourvoi auprès de la Cour suprême du Canada pour tenter de faire annuler la décision de la Cour d'appel. Ceci pourrait prendre des années et pendant ce temps les conjoints de fait n'auront pas accès à ce genre de protection. Cette question est loin d'être réglée !

La seule façon de contrer cette situation est de prévoir le droit à une telle pension dans la convention de conjoints de fait. Comme il s'agit d'un contrat, il est possible de contraindre son cocontractant à s'exécuter en s'adressant aux tribunaux. Dans ce cas, si le conjoint de fait ne veut pas respecter sa signature, il sera possible de s'adresser à la cour pour en faire respecter les clauses.

À moins qu'il ne s'agisse d'une somme forfaitaire, la pension alimentaire pour conjoints, payable périodiquement, n'est pas défiscalisée. Le débiteur peut donc la déduire de son revenu imposable, alors que le créancier est imposé sur ces montants.

---

31. Droit de la famille - 1028666, 2010 QCCA 1978, juge Beauregard, Dutil et Giroux.

Les prestations prévues par les lois à caractère social

Les conjoints de fait pourront réclamer les prestations sociales dont il a été question dans les chapitres précédents. Ils n'ont qu'à produire leur réclamation auprès de l'organisme concerné et démontrer leur statut de conjoint de fait. Ils n'auront donc pas à s'adresser aux tribunaux pour les obtenir, sauf si leur statut de conjoint de fait est contesté ou que quelqu'un d'autre prétend avoir les mêmes droits.

Lors d'une séparation, si les deux conjoints y consentent, il est possible de demander à la Régie des rentes du Québec de faire un partage des revenus de travail accumulés durant la vie commune. Il existe un outil de calcul pour évaluer les résultats d'un tel partage avant de le demander : www.rrq.gouv.qc.ca/fr/services/formulaires/regime_rentes/rupture/Pages/RDC-001.aspx.

Les recours avec une convention de conjoints de fait

La convention de conjoints de fait est un contrat qui devient la loi des parties. Il est conseillé de s'adresser à un médiateur familial pour négocier les termes d'une entente de séparation. Il est possible de s'adresser aux tribunaux pour la faire respecter si l'un des conjoints refuse de se soumettre aux clauses qui y sont prévues.

Les recours sans convention de conjoints de fait

Même sans convention de conjoints de fait, il est toujours possible de s'entendre pour établir les termes d'une séparation. Le recours aux services d'un médiateur familial pour négocier un accord qui satisfera les deux parties et permettra de préserver la bonne entente est généralement une bonne solution. Il sera aussi possible d'obtenir rapidement un jugement sur cette entente. Les deux conjoints pourront faire la demande ensemble et éviter ainsi les frais et les délais.

À défaut d'une entente à l'amiable et d'une convention établissant leurs droits, les conjoints de fait n'auront pas beaucoup de chance d'obtenir gain de cause devant les tribunaux. L'un des seuls recours qui demeurent recevables est fondé sur l'enrichissement injustifié. Pour gagner sa cause, le conjoint qui se croit lésé doit établir que son conjoint s'est enrichi à ses dépens, alors que lui-même s'est appauvri, l'un étant corollaire de l'autre. Il s'agit d'un fardeau de preuves assez lourd à porter. Certains ont réussi, le plus souvent dans un contexte où l'un des conjoints avait travaillé pour l'autre et aidé dans son entreprise, sans rémunération ou contre une rémunération non représentative du marché.

Les procédures auxquelles peuvent recourir les conjoints de fait ne leur permettent pas de bénéficier d'un traitement plus souple et de procédures accélérées, qui sont souvent offerts aux époux et aux conjoints unis civilement.

Le site Internet www.educaloi.qc.ca permet d'obtenir des réponses à nos questions et de mieux comprendre la différence entre les mythes concernant la loi et la réalité.

CONCLUSION

Organiser la vie à deux est un processus qui demande du temps, un certain niveau d'information et, surtout, l'accès à des professionnels compétents qui pourront vous renseigner et vous aider à prendre des décisions éclairées.

N'hésitez pas à en discuter avec votre conseiller juridique ou votre planificateur financier. Il pourra vous aider à établir vos priorités dans ce cheminement laborieux.

Le site d'Éducaloi www.educaloi.qc.ca constitue un bon outil en la matière. Facile d'accès, il contient une foule de renseignements qui sauront répondre à vos questions et vous permettront de mieux comprendre vos droits et obligations.

Autant que les couples qui s'apprêtent à se marier ou à s'unir civilement, les conjoints de fait qui prévoient faire des dépenses importantes, acquérir des biens comme une maison ou un chalet ou encore qui ont le désir d'avoir des enfants, ont intérêt à bien structurer juridiquement et financièrement leur union. Ce n'est pas si facile de gagner devant les tribunaux. Et que personne ne s'y trompe, Lola n'a encore rien gagné sinon que d'obtenir éventuellement le droit de réclamer une pension alimentaire pour elle-même lorsque tous les recours devant les tribunaux seront terminés. Le gouvernement aura toujours un délai pour remplacer les articles de la loi invalidés par le jugement. Ceci peut durer encore bien des années. Mieux vaut prévenir ces questions toujours litigieuses et prévoir des ententes raisonnables dans une convention de conjoint de fait en bonne et due forme, un mandat en prévision de l'inaptitude et un testament.

ANNEXE 1
Exemple de partage de patrimoine familial

Voici un exemple du partage du patrimoine familial tel que le *Code civil du Québec* le prévoit. Chaque conjoint doit faire un inventaire de ses biens.

Après avoir établi la valeur des biens qui le composent, celui qui possède une valeur plus élevée devra compenser l'autre conjoint de façon à ce que les deux aient des lots d'égale valeur. Ce paiement peut se faire par le transfert d'un bien ou par un paiement en argent. Il est possible aux conjoints de fait de s'inspirer des principes de la loi pour créer leur propre «patrimoine familial sur mesure» dans leur contrat de conjoints[32].

Si Michel et Lina étaient mariés ou unis civilement, voici à quoi ressemblerait un partage de leur patrimoine familial:

Patrimoine de Michel			
Biens	Actif	Passif	Valeur nette
Résidence servant à l'usage de la famille	150 000 $	50 000 $	100 000 $
Immeuble locatif (héritage)	200 000 $		200 000 $
Meubles	35 000 $		35 000 $

---

32. N'hésitez pas à consulter le *Guide de planification fiscale — Le mariage* (paru en janvier 2011 aux Éditions Goélette) pour obtenir plus de précisions à cet égard.

Automobile servant à l'usage de la famille	s.o.	s.o.	s.o.
REER	50 000 $		50 000 $
RPA	?		Relevé des droits à demander à l'employeur
RPDB	80 000 $		80 000 $
RRQ	?		?
VISA		5 000 $	(5 000 $)
Total	515 000 $	55 000 $	460 000 $
Patrimoine de Lina			
Biens	Actif	Passif	Valeur nette
Résidence servant à l'usage de la famille	150 000 $	50 000 $	100 000 $
Chalet servant à l'usage de la famille	75 000 $	25 000 $	50 000 $
Meubles	20 000 $		20 000 $
Équipement de bureau	15 000 $		15 000 $

Automobile	10 000 $	6 000 $	4 000 $
CRI	22 000 $		22 000 $
REER de conjoint	40 000 $		40 000 $
REER	15 000 $		15 000 $
Héritage de son père	50 000 $		50 000 $
Total	397 000 $	81 000 $	316 000 $

Puisque Lina assure la garde des enfants, elle a décidé de rester dans la résidence familiale. Michel, pour sa part, tient absolument à garder le chalet.

La valeur partageable est de 414 000 $. Chaque conjoint devrait donc avoir un lot d'une valeur de 207 000 $.

Le partage du patrimoine familial se fera donc ainsi :

Patrimoine familial			
Part de Michel		Part de Lina	
Biens	Valeur nette	Biens	Valeur nette
Chalet	50 000 $	Résidence familiale	200 000 $
Meubles	52 000 $	Meubles	3 000 $
Voiture	s.o.	Voiture	4 000 $

REER de Lina	55 000 $			
REER de Michel	50 000 $			
Total	207 000 $	Total		207 000 $

Les biens de Lina ne faisant pas partie du patrimoine familial :
• l'héritage de 50 000 $ de son père ;

• l'équipement de bureau d'une valeur de 15 000 $;

• le CRI provenant d'un régime de retraite accumulé avant le mariage et les gains accumulés de 22 000 $.

Les biens de Michel ne faisant pas partie du patrimoine familial :
• immeuble locatif reçu en héritage d'une valeur de 200 000 $;

• RPDB de 80 000 $.

Il faut ajouter à la valeur de ce partage des données qui, si elles nous sont inconnues pour l'instant, seront obtenues plus tard. Pour connaître la valeur actuarielle des droits de Michel dans le régime de retraite RPA de son employeur, il faut faire une demande en bonne et due forme auprès de l'employeur. Lina pourra faire transférer la part qui lui revient directement dans son compte de retraite immobilisé (CRI) et continuer à profiter de la croissance à l'abri de l'impôt.

Il en est de même de la valeur des droits accumulés dans le RRQ. Michel et Lina pourront communiquer avec la Régie des rentes du Québec pour demander le partage. La Régie offre un service pour calculer la rente à laquelle les participants auront droit lors du partage : www.rrq.gouv.qc.ca/fr/services/formulaires/regime_rentes/rupture/Pages/RDC-001.aspx.

ANNEXE 2
Législations accordant des droits aux conjoints de fait

Législations du Québec

- *Loi sur les accidents du travail*
- *Loi sur les accidents de travail et les maladies professionnelles*
- *Loi sur l'aide financière aux études*
- *Loi sur l'aide juridique*
- *Loi sur l'assurance automobile*
- *Loi sur les assurances*
- *Loi sur les caisses d'épargne et de crédit*
- *Loi sur les sociétés de fiducie et les sociétés d'épargne*
- *Loi sur les élections scolaires*
- *Loi concernant les droits sur les mutations immobilières*
- *Loi sur les coopératives*
- *Loi sur les impôts*
- *Loi sur la taxe de vente du Québec*
- *Loi sur les normes du travail*
- *Loi sur les tribunaux judiciaires*
- *Loi sur le Régime de rentes du Québec*
- *Loi sur le régime de retraite des employés du gouvernement et des organismes publics*
- *Loi sur le régime de retraite des fonctionnaires*
- *Loi sur les régimes complémentaires de retraite*
- *Loi sur les conditions de travail et le régime de retraite des membres de l'Assemblée nationale*
- *Loi sur le régime de retraite des agents de la paix en services correctionnels*
- *Loi sur le régime de retraite des élus municipaux*
- *Loi sur le régime de retraite des enseignants*

- *Loi sur l'aide et l'indemnisation des victimes d'actes criminels*
- *Loi sur le soutien du revenu et favorisant l'emploi et la solidarité sociale*
- *Législations canadiennes*
- *Régime de pensions du Canada*
- *Loi sur la citoyenneté*
- *Loi sur l'assurance-emploi*
- *Loi de l'impôt sur le revenu*
- *Loi sur la sécurité de la vieillesse*
- *Loi sur le partage des pensions de retraite*
- *Loi sur les sociétés de caisse de retraite*
- *Loi sur l'emploi dans la fonction publique*
- *Loi sur la pension de la fonction publique*
- *Loi sur les régimes de retraite particuliers*
- *Loi sur les prestations de retraite supplémentaires*
- *Loi sur les allocations aux anciens combattants*

[notes manuscrites]

* assurance vie VDM → Chango Bénéficiaire
* CQFF.COM → cours fiscale
* formulaire changement de état civil RC-65
* vente du chalet - gain en capital? Federal
  moins les frais de vente :

RECYCLÉ
Papier fait à partir
de matériaux recyclés
FSC
www.fsc.org   FSC® C021757